MAUPASSANT FOR RAPID READING

MAUPASSANT
FOR RAPID READING

A NEW COLLECTION

EDITED WITH NOTES
AND VOCABULARY

BY

EDWIN B. WILLIAMS

Professor of Romance Languages
University of Pennsylvania

NEW YORK
F. S. CROFTS & CO.
MCMXXXV

Forrest Book co.
1.10
Carnegie Grant
5
7-13-38 - fm
11-11-38 fm

PREFACE

The present volume is designed to provide material and a method for the rapid acquisition of a reading knowledge of French; it could be used best as a first reader in intermediate French although it might be used profitably at any stage of the second year course.

The notes at the back of the book are the special feature of this edition. They are divided into twenty-one groups, each preceded by an explanation of the grammatical principle necessary for reading and understanding the sentences of the group. Grammatical principles necessary for composition but unnecessary for reading (such as the agreement of the past participle) are not included. These notes are arranged in numerical order and are referred to by superior numbers (e.g., [53]) in the text. Page and line numbers are placed at the end of each note so that all previous occurrences of a given difficulty can be immediately located. Some sentences are translated into English. If a sentence is not translated, the student need only study the grammatical principle at the head of the group and the previous sentences, in the same group, that are translated. It must be admitted that the grammatical principles treated are not all of equal importance. Their choice was determined by a careful check in the classroom, repeated year after year, of the stumbling blocks encountered in reading by all kinds of students. It is believed that this method of systematically grouping the notes is a much sounder and surer approach to a reading knowledge of French than the method which tampers with the text itself and thereby often defaces the work of a great artist.

Difficulties that are practically non-recurrent in the text are explained in the notes at the bottom of the page and these notes are referred to by asterisks in the text. The vocabulary, it is hoped, is complete; it contains irregular verb forms that cannot be derived at sight from the infinitive.

Maupassant was chosen because of the ease and uniformity of his language, e.g., the subjunctive is used only forty times in the eleven stories. But in order that the content may be new as well as the method, the favorite stories of past collections edited for school use have been avoided. Most of the stories in the present collection have never been so edited before.

For obvious reasons, the story in Norman dialect and the story in the manner of the old fabliau (unless *La Légende du Mont-Saint-Michel* be considered as belonging in the latter category) are not represented here. But the stories included cover the whole period of Maupassant's literary activity, from 1876 (*Coco, coco, coco frais!*) to 1890 (*Qui sait?*). A few slight excisions were deemed advisable.

Opinion may vary as to the literary value of some of these stories, particularly as compared with better known stories of Maupassant. Yet no one can deny that they are all interesting, representative and characteristic.

The editor wishes to thank Professor H. U. Forest of the University of Pennsylvania for much valuable assistance, especially in reading the proofs, and those other colleagues whose suggestions and discussions were so helpful in the solution of many editorial difficulties.

E. B. W.

INTRODUCTION

GUY DE MAUPASSANT (1850–1893)

Henri René Albert Guy de Maupassant was born August 5, 1850, at the chateau of Miromesnil near Dieppe in the department of the Seine-Inférieure. The marriage of his parents was a very unhappy one and they separated while he was still a child. One wonders whether he did not witness family scenes in his own home such as the one he describes in *Garçon, un bock!* . . . However, unlike the Count des Barrets, he always remained on very good terms with his father.

In his childhood and youth, he came in contact with Flaubert, who was a close friend of his mother and his uncle. Flaubert encouraged him in his early literary efforts, but the master's lofty ideals of literary meticulosity did not have much influence on the work of a man who was destined to write well by instinct rather than by precept. While a student at a lycée at Rouen, Maupassant made the acquaintance of the poet Bouilhet and they became close friends. At Étretat, where his vacations were spent, he met Swinburne. It seems that this great poet was just another curious Englishman to Maupassant, who never understood English or English people; his irritation in their presence is revealed in *Découverte* and in several other stories.

When the Franco-Prussian War broke out, Maupassant joined the army, where he got first-hand material for his war stories. In *Un Coup d'État*, he was able to laugh at his own countrymen's puerilities with a detachment that has been characterized as a "cynical lack of patriotism."

After the war, he lived in Paris under the guidance of

Flaubert, through whom he met Turgenev, Daudet, Zola and Edmond de Goncourt. He got a position in the Ministry of Marine in 1872, which he left in 1879 for a better position in the Ministry of Public Instruction. It was while thus employed that he came to know so well the government clerks and officials for whom he shows so much contempt in many of his stories, for example, in *Le Protecteur*. In 1880 he attained fame as a man of letters with a volume of verse (*Des Vers*), and a *nouvelle*, *Boule de Suif*, his contribution to the *Soirées de Médan*, a collection of stories by a small group of writers, brought together under the leadership of Zola, and so named because the meetings of the group were held at Zola's home at Médan. But Maupassant was not in sympathy with the tenets of Naturalism and wished to avoid the entangling alliance of a literary school. If he did not admit this openly, it was because of friendship for Zola.

Maupassant always enjoyed going back to his native Normandy. He built his own villa, La Guillette, on his mother's estate at Étretat midst the scenes of his childhood. But now he sought more and more the warmth of southern France and the Mediterranean, where he had a yacht and whence he would return north with renewed strength. In 1880 he went to Corsica and got material for several stories such as *Un Bandit corse*, and for the vendetta episode in his first novel, *Une Vie*, which appeared serially in the magazine *Gil Blas* in 1883. In 1881 he went to Algiers and joined a military expedition into the desert. He traveled through Italy and Sicily in 1885, which was the year of the publication of his second novel, *Bel-Ami*.

As a young man Maupassant had a genuine interest in philosophy. This interest is displayed in *Coco, coco, coco frais!* where he takes up the problem of chance and offers a rational solution of it. As he grew older his philosophy became more a matter of feeling and less a matter of thought. After a life of constant dissipation, he became more and more concerned about the illness which was swiftly stealing over him. The philosopher has turned psychologist and we now find him analyzing the states of mental aberration of which he himself was becoming a victim. *Qui sait?*, his last story, is an excellent example of this analysis.

It has often been pointed out that practically all of Maupassant's writing was done in ten years, from 1880 to 1890. It is also worthy of note that the largest amount and perhaps the best of this writing was done by 1886. However, the novel that is generally considered his best, *Pierre et Jean*, did not appear until 1888.

Early in January, 1891, at Cannes, aware that there was no escape from the insanity which had long been terrorizing him, he tried suicide but failed. After confinement for eighteen months in an asylum at Passy, he died July 6, 1893.

The following recent studies on Maupassant are suggested for further reading:

René Dumesnil, *Guy de Maupassant*, Paris, 1933.

Roy Alan Cox, *Dominant Ideas in the Works of Guy de Maupassant*, The University of Colorado Studies, Vol. XIX, No. 2, Boulder, 1932.

Ernest Boyd, *Guy de Maupassant: A Biographical Study*, New York, 1926.

CONTENTS

MAUPASSANT FOR RAPID READING

COCO, COCO, COCO FRAIS!

J'avais entendu [91] raconter la mort de mon oncle Ollivier.

Je savais qu'au moment où il allait expirer* doucement, tranquillement, dans l'ombre de sa grande chambre dont [15] on avait fermé les volets à cause d'un terrible soleil de juillet; au milieu du silence étouffant de cette brûlante après-midi d'été, on entendit dans la rue une petite sonnette argentine. Puis, une voix claire traversa l'alourdissante chaleur: «Coco frais, rafraîchissez-vous,* mesdames, coco, coco, qui veut du coco?»* Mon oncle fit un mouvement, quelque chose comme l'effleurement d'un sourire remua sa lèvre, une gaieté dernière brilla dans son œil qui, bientôt après, s'éteignit pour toujours.

J'assistais à l'ouverture du testament. Mon cousin Jacques héritait naturellement des biens de son père; au mien,* comme souvenir, étaient légués quelques meubles. La dernière clause me concernait. La voici: «A mon neveu Pierre, je laisse un manuscrit de quelques feuillets qu'on trouvera dans le tiroir gauche de mon secrétaire; plus 500 francs pour acheter son fusil de chasse, et 100 francs qu'il voudra bien remettre de ma part au premier marchand de coco qu'il rencontrera! . . . »

Ce fut une stupéfaction générale. Le manuscrit qui me fut remis m'expliqua ce legs surprenant.

Je le copie textuellement:

L'homme a toujours vécu sous le joug des superstitions.

Line 2. où il allait expirer   *when he was about to die.*
Line 8. rafraîchissez-vous   This is the imperative; the **vous** is reflexive.
Line 9. qui veut du coco?   *who wants some licorice water?* or *have some licorice water!*
Line 14. au mien, i.e., à mon père.

On croyait autrefois qu'une étoile s'allumait en même temps
que [32] naissait un enfant; qu'elle suivait les vicissitudes de sa
vie, marquant les bonheurs par son éclat, les misères par son
obscurcissement.   On croit à l'influence des comètes, des
5 années bissextiles, des vendredis, du nombre treize.   On
s'imagine que certaines gens jettent des sorts, le mauvais
œil.   On dit: «Sa rencontre* m'a toujours porté malheur.»
Tout cela est vrai.   J'y [116] crois.—Je m'explique:* Je ne crois
pas à l'influence occulte des choses ou des êtres; mais je
10 crois au hasard bien ordonné.   Il est certain que le hasard
a fait [53] s'accomplir des événements importants pendant que
des comètes visitaient notre ciel; qu'il en a placé dans les
années bissextiles; que certains malheurs remarqués sont [185]
tombés le vendredi, ou bien ont coïncidé avec le nombre
15 treize; que la vue de certaines personnes a concordé avec le
retour de certains faits, etc.   De là naissent les superstitions.
Elles se forment d'une observation incomplète, superficielle,
qui voit la cause dans la coïncidence et ne cherche pas au
delà.

20   Or mon étoile à moi,[330] ma comète, mon vendredi, mon
nombre treize, mon jeteur de sorts, c'est bien certainement
un marchand de coco.

Le jour de ma naissance, m'a-t-on dit, il y en eut un qui
cria toute la journée sous nos fenêtres.

25   A huit ans, comme j'allais me promener avec ma bonne
aux Champs-Élysées, et que* nous traversions la grande
avenue, un de ces industriels* agita soudain sa sonnette
derrière mon dos.   Ma bonne regardait au loin un régiment
qui passait; je me retournai pour voir le marchand de coco.

Line 7. **Sa rencontre** *His meeting*, i.e., *My meeting with him.*
Line 8. **Je m'explique** Translate with future tense.
Line 26. **comme j'allais me promener . . ., et que nous traversions: Que**
may replace any subordinating conjunction that has occurred in the preceding clause; in this sentence **que** replaces **comme** and means *as.*
Line 27. **industriels** Used ironically.

Une voiture à deux chevaux, luisante et rapide comme un éclair, arrivait sur nous. Le cocher cria. Ma bonne n'entendit pas; moi non plus. Je me sentis renversé, roulé, meurtri . . ., et je me trouvai, je ne sais comment, dans les bras du marchand de coco qui, pour me réconforter, me mit la [230] bouche sous un de ses robinets, l'ouvrit et m'aspergea . . . ce qui me remit tout à fait.

Ma bonne eut le nez cassé. Et si elle continua à regarder les régiments, les régiments ne la regardèrent plus.

A seize ans, je venais d'acheter mon premier fusil, et, la veille de l'ouverture de la chasse, je me dirigeais vers le bureau de la diligence, en donnant mon bras à ma vieille mère qui allait fort lentement à cause de ses rhumatismes. Tout à coup, derrière nous, j'entendis [92] crier: «Coco frais!» La voix se rapprocha, nous suivit, nous poursuivit. Il me semblait qu'elle s'adressait à moi, que c'était une personnalité, une insulte. Je crois qu'on me regardait en riant; et l'homme criait toujours: «Coco frais!» comme s'il se fût [224] moqué [315] de mon fusil brillant, de ma carnassière neuve, de mon costume de chasse tout *frais* en velours marron.

Dans la voiture je l'entendais encore.

Le lendemain, je n'abattis aucun gibier, mais je tuai un chien courant que je pris pour un lièvre; une jeune poule que je crus être une perdrix. Un petit oiseau se posa sur une haie; je tirai, il s'envola; mais un beuglement terrible me cloua sur place. Il dura jusqu'à la nuit. . . . Hélas! mon père dut [254] payer la vache d'un pauvre fermier.

A vingt-cinq ans, je vis, un matin, un vieux marchand de coco, très ridé, très courbé, qui marchait à peine, appuyé sur son bâton et comme écrasé par sa fontaine. Il me parut être une sorte de divinité, comme le patriarche, l'ancêtre, le grand chef de tous les marchands de coco du monde. Je bus un verre de coco et je le payai vingt sous. Une voix profonde

qui semblait plutôt sortir de la boîte en fer-blanc que de*
l'homme qui la portait, gémit: «Cela vous portera bonheur,
mon cher monsieur.»

Ce jour-là je fis la connaissance de ma femme qui me rendit
5 toujours heureux.

Enfin, voici comment un marchand de coco m'empêcha
d'être préfet.

Une révolution venait d'avoir lieu. Je fus pris du besoin
de devenir un homme public. J'étais riche, estimé, je con-
10 naissais un ministre; je demandai une audience en indiquant
le but de ma visite. Elle me fut accordée de la façon la plus
aimable.

Au jour dit (c'était en été, il faisait une chaleur terrible),
je mis un pantalon clair, des gants clairs, des bottines de
15 drap clair aux bouts de cuir verni. Les rues étaient brûlantes.
On enfonçait dans les trottoirs qui fondaient; et de gros ton-
neaux d'arrosage faisaient un cloaque des chaussées. De
place en place des balayeurs faisaient un tas de cette boue
chaude et pour ainsi dire factice, et la poussaient dans les
20 égouts. Je ne pensais qu'à mon audience et j'allais vite,
quand je rencontrai un de ces flots vaseux; je pris mon élan,
une . . ., deux. . . .* Un cri aigu, terrible, me perça les [231]
oreilles: «Coco, coco, coco, qui veut du coco?» Je fis un
mouvement involontaire des gens surpris;* je glissai. . . .
25 Ce fut une chose lamentable, atroce . . ., j'étais assis dans
cette fange . . ., mon pantalon était [210] devenu foncé, ma
chemise blanche tachetée de boue; mon chapeau nageait à
côté de moi. La voix furieuse, enrouée à force de crier, hur-
lait toujours: «Coco, coco!» Et devant moi, vingt personnes,

Line 1. plutôt sortir de . . . que de . . . *rather to come forth from . . .
than from . . .*

Line 22. une . . ., deux . . . The feminine une is generally used when
counting under such circumstances.

Line 24. Je fis un mouvement involontaire des gens surpris *I gave a
start such as surprised people do.*

que [33] secouait un rire formidable, faisaient d'horribles grimaces en me regardant.

Je rentrai chez moi en courant. Je me changeai. L'heure de l'audience était passée.

. . . .

Le manuscrit se terminait ainsi:

Fais-toi l'ami d'un marchand de coco, mon petit Pierre. Quant à moi, je m'en irai content de ce monde, si j'en entends [93] crier un, au moment de mourir.

. . . .

Le lendemain, je rencontrai aux Champs-Élysées un vieux, très vieux porteur de fontaine qui paraissait fort misérable. Je lui donnai les cent francs de mon oncle. Il tressaillit stupéfait, puis me dit: «Grand merci, mon petit homme, cela vous portera bonheur.»

LA REMPAILLEUSE

C'était à la fin du dîner d'ouverture de chasse* chez le marquis de Bertrans. Onze chasseurs, huit jeunes femmes et le médecin du pays étaient assis autour de la grande table illuminée, couverte de fruits et de fleurs.

5 On vint à parler d'amour, et une grande discussion s'éleva, l'éternelle discussion, pour savoir si on pouvait aimer vraiment une seule fois ou plusieurs fois. On cita des exemples de gens n'ayant jamais eu qu'un amour sérieux; on cita aussi d'autres exemples de gens ayant aimé souvent, avec violence.
10 Les hommes, en général, prétendaient que la passion, comme les maladies, peut frapper plusieurs fois le même être, et le frapper à le tuer* si quelque obstacle se dresse devant lui. Bien que cette manière de voir ne fût [298] pas contestable, les femmes, dont [1] l'opinion s'appuyait sur la poésie bien plus
15 que sur l'observation, affirmaient que l'amour, l'amour vrai, le grand amour, ne pouvait tomber qu'une fois sur un mortel, qu'il était semblable à la foudre, cet amour,[331] et qu'un cœur touché par lui demeurait ensuite tellement vidé, ravagé, incendié, qu'aucun autre sentiment puissant, même
20 aucun rêve, n'y pouvait germer* de nouveau.

Le marquis ayant aimé beaucoup, combattait vivement cette croyance:

—Je vous dis, moi, qu'on peut aimer plusieurs fois avec toutes ses forces et toute son âme. Vous me citez des gens
25 qui se sont [186] tués par amour, comme preuve de l'impos-

Line 1. **dîner d'ouverture de chasse** *dinner celebrating the opening of the hunting season.*
Line 12. **à le tuer** *hard enough to kill him.*
Line 20. **n'y pouvait germer,** i.e., **ne pouvait y germer.**

6

sibilité d'une seconde passion. Je vous répondrai que, s'ils
n'avaient pas commis cette bêtise de se suicider, ce qui leur [117]
enlevait toute chance de rechute, ils se seraient [220] guéris; et
ils auraient recommencé, et toujours,* jusqu'à leur mort
naturelle. Il en est des amoureux comme des ivrognes. Qui 5
a bu boira—qui a aimé aimera. C'est une affaire de tempérament, cela.

On prit pour arbitre le docteur, vieux médecin parisien
retiré aux champs, et on le pria de donner son avis.

Justement il n'en avait pas.* 10

—Comme [34] l'a dit le marquis, c'est une affaire de tempérament; quant à moi, j'ai eu connaissance d'une passion qui
dura cinquante-cinq ans, sans un jour de répit, et qui ne se
termina que par la mort.

La marquise battit des mains. 15

—Est-ce beau cela!* Et quel rêve d'être aimé ainsi! Quel
bonheur de vivre cinquante-cinq ans tout enveloppé de cette
affection acharnée et pénétrante! Comme [277] il a dû [258] être
heureux, et bénir la vie, celui qu'on adora de la sorte!

Le médecin sourit: 20

—En effet, madame, vous ne vous trompez pas sur ce
point, que l'être aimé fut un homme. Vous le connaissez,
c'est M. Chouquet, le pharmacien du bourg. Quant à elle,
la femme, vous l'avez connue aussi, c'est la vieille rempailleuse de chaises qui venait tous les ans au château. Mais je 25
vais me faire [54] mieux comprendre.

L'enthousiasme des femmes était [211] tombé; et leur visage
dégoûté* disait: «Pouah!» comme si l'amour n'eût [316] dû [264]
frapper que des êtres fins et distingués, seuls dignes de l'intérêt des gens comme il faut. 30

Line 4. **et toujours** *and over and over again.*
Line 10. **Justement il n'en avait pas** *He didn't exactly have any (opinion).*
Line 16. **Est-ce beau cela!** *Isn't that magnificent?*
Line 28. **leur visage dégoûté** *their disgusted faces;* the singular is used
distributively.

Le médecin reprit:

—J'ai été appelé, il y a trois mois, auprès de cette vieille femme, à son lit de mort. Elle était [212] arrivée la veille, dans la voiture qui lui servait de maison,* traînée par la rosse que vous avez vue, et accompagnée de ses grands chiens noirs, ses amis et ses gardiens. Le curé était déjà là. Elle nous fit ses exécuteurs testamentaires, et, pour nous dévoiler le sens de ses volontés dernières, elle nous raconta toute sa vie. Je ne sais rien de plus singulier et de plus poignant.

Son père était rempailleur et sa mère rempailleuse. Elle n'a jamais eu de logis planté en terre.

Toute petite, elle errait, haillonneuse, vermineuse, sordide. On s'arrêtait à l'entrée des villages, le long des fossés; on dételait la voiture; le cheval broutait; le chien dormait, le museau sur ses pattes; et la petite se roulait dans l'herbe pendant que le père et la mère rafistolaient, à l'ombre des ormes du chemin, tous les vieux sièges de la commune. On ne parlait guère, dans cette demeure ambulante. Après les quelques mots nécessaires pour décider qui ferait le tour des maisons en poussant le cri bien connu: «Remmmpailleur* de chaises!» on se mettait à tortiller la paille, face à face ou côte à côte. Quand l'enfant allait trop loin ou tentait d'entrer en relations avec quelque galopin du village, la voix colère du père la rappelait: «Veux-tu bien revenir ici,* crapule!» C'étaient les seuls mots de tendresse qu'elle entendait.

Quand elle devint plus grande, on l'envoya faire la récolte des fonds de siège avariés. Alors elle ébaucha quelques connaissances de place en place avec les gamins; mais c'étaient alors les parents de ses nouveaux amis qui rappelaient bru-

Line 4. **qui lui servait de maison** *which served her as a house* or *which she used as a house.*

Line 20. **Remmmpailleur** The three m's are used to indicate the length of the syllable in the cry.

Line 24. **Veux-tu bien revenir ici** *Are you going to come back here?*

talement leurs enfants: «Veux-tu bien venir ici,* polisson!
Que je te voie [324] causer avec les va-nu-pieds! . . .»

Souvent les petits gars lui jetaient des pierres.

Des dames lui ayant donné quelques sous, elle les garda
soigneusement.   5

Un jour—elle avait alors onze ans—comme elle passait
par ce pays, elle rencontra derrière le cimetière le petit
Chouquet qui pleurait parce qu'un camarade lui [118] avait
volé deux liards. Ces larmes d'un petit bourgeois, d'un de
ces petits* qu'elle s'imaginait dans sa frêle caboche de   10
déshéritée, être toujours contents et joyeux, la boulever-
sèrent. Elle s'approcha, et, quand elle connut la raison
de sa peine, elle versa entre ses mains toutes ses économies, sept sous, qu'il prit naturellement, en essuyant
ses larmes. Alors, folle de joie, elle eut l'audace de l'em- 15
brasser. Comme il considérait attentivement sa monnaie, il
se laissa [94] faire. Ne se voyant ni repoussée ni battue, elle
recommença; elle l'embrassa à pleins bras, à plein cœur.
Puis elle se sauva.

Que se passa-t-il dans cette misérable tête? S'est-elle [187] 20
attachée à ce mioche parce qu'elle lui avait sacrifié sa fortune
de vagabonde, ou parce qu'elle lui avait donné son premier
baiser tendre? Le mystère est le même pour les petits que
pour les grands.

Pendant des mois, elle rêva de ce coin de cimetière et de   25
ce gamin. Dans l'espérance de le revoir, elle vola ses parents,
grappillant un sou par-ci, un sou par-là, sur un rempaillage,*
ou sur les provisions qu'elle allait acheter.

Quand elle revint, elle avait deux francs dans sa poche,
mais elle ne put qu'apercevoir* le petit pharmacien, bien   30

Line 1. **Veux-tu bien venir ici** See footnote to page 8, line 24.
Line 10. **d'un de ces petits** *of one of those little fellows.*
Line 27. **sur un rempaillage, ou sur les provisions** *from the money of a
mended seat or the provisions.*
Line 30. **elle ne put qu'apercevoir** *she could only see.*

propre, derrière les carreaux de la boutique paternelle, entre
un bocal rouge et un ténia.*

Elle ne l'en aima que davantage,* séduite, émue, extasiée
par cette gloire de l'eau colorée, cette apothéose des cristaux
5 luisants.

Elle garda en elle* son souvenir* ineffaçable, et, quand
elle le rencontra, l'an suivant, derrière l'école, jouant aux
billes avec ses camarades, elle se jeta sur lui, le saisit dans ses
bras, et le baisa avec tant de violence qu'il se mit à hurler
10 de peur. Alors, pour l'apaiser, elle lui donna son argent: trois
francs vingt, un vrai trésor, qu'il regardait avec des yeux
agrandis.

Il le prit et se laissa [95] caresser tant qu'elle voulut.

Pendant quatre ans encore, elle versa entre ses mains
15 toutes ses réserves, qu'il empochait avec sa conscience en
échange de baisers consentis.   Ce fut une fois trente sous,
une fois deux francs, une fois douze sous seulement (elle en
pleura de peine et d'humiliation,* mais l'année avait été
mauvaise) et la dernière fois, cinq francs, une grosse pièce
20 ronde, qui le fit [55] rire d'un rire content.

Elle ne pensait plus qu'à lui; et il attendait son retour avec
une certaine impatience, courait au-devant d'elle en la
voyant, ce qui faisait [56] bondir le cœur de la fillette.

Puis il disparut.   On l'avait mis au collège.   Elle le sut
25 en interrogeant habilement.   Alors elle usa d'une diplomatie
infinie pour changer l'itinéraire de ses parents et les faire [57]
passer par ici au moment des vacances.   Elle y [119] réussit,

Line 2.   **ténia**   *tape-worm* (in a bottle).
Line 3.   **Elle ne l'en aima que davantage**   *She only loved him more be-*
cause of this (i.e., because she could now see him only in the window of his
father's store).
Line 6.   **en elle**   *within herself*
Line 6.   **son souvenir**   *his memory*, i.e., *memory of him.*
Line 18.   **elle en pleura de peine et d'humiliation**   *she wept because of it*
with sorrow and humiliation.

mais après un an de ruses. Elle était [212] donc restée deux ans
sans le revoir; et elle le reconnut à peine, tant [278] il était
changé, grandi, embelli, imposant dans sa tunique à boutons
d'or. Il feignit de ne pas la voir et passa fièrement près d'elle.

Elle en pleura* pendant deux jours; et depuis lors elle   5
souffrit sans fin.

Tous les ans elle revenait; passait devant lui sans oser le
saluer et sans qu'il daignât [304] même tourner les yeux vers
elle. Elle l'aimait éperdument. Elle me dit: «C'est le seul
homme que j'aie vu sur la terre, monsieur le médecin; je ne   10
sais pas si les autres existaient seulement.»

Ses parents moururent. Elle continua leur métier, mais
elle prit deux chiens au lieu d'un, deux terribles chiens qu'on
n'aurait pas osé braver.

Un jour, en rentrant dans ce village où son cœur était [212]   15
resté, elle aperçut une jeune femme qui sortait de la boutique
Chouquet au bras de son bien-aimé. C'était sa femme. Il
était marié.

Le soir même, elle se jeta dans la mare qui est sur la place
de la Mairie. Un ivrogne attardé la repêcha, et la porta à   20
la pharmacie. Le fils Chouquet descendit en robe de chambre,
pour la soigner, et, sans paraître la reconnaître, la déshabilla,
la frictionna, puis il lui dit d'une voix dure: «Mais vous
êtes folle! Il ne faut pas être bête comme ça!»*

Cela suffit pour la guérir. Il lui avait parlé! Elle était   25
heureuse pour longtemps.*

Il ne voulut rien recevoir en rémunération de ses soins,
bien qu'elle insistât [299] vivement pour le payer.

Et toute sa vie s'écoula ainsi. Elle rempaillait en songeant
à Chouquet. Tous les ans elle l'apercevait derrière ses vi-   30

Line 5. **Elle en pleura** *She wept because of it.*
Line 24. **Il ne faut pas être bête comme ça!** *You should not be so stupid!*
Line 26. **Elle était heureuse pour longtemps** *She would now be happy for a long time.*

traux. Elle prit l'habitude d'acheter chez lui des provisions
de menus médicaments. De la sorte elle le voyait de près,
et lui parlait, et lui donnait encore de l'argent.

Comme je vous l'ai dit en commençant, elle est [188] morte
5 ce printemps. Après m'avoir raconté toute cette triste histoire, elle me pria de remettre à celui qu'elle avait si patiemment aimé toutes les économies de son existence, car
elle n'avait travaillé que pour lui, rien que pour lui, disait-
elle, jeûnant même pour mettre de côté, et être sûre qu'il
10 penserait à elle, au moins une fois, quand elle serait
morte.

Elle me donna donc deux mille trois cent vingt-sept francs.
Je laissai à M. le curé les vingt-sept francs pour l'enterrement, et j'emportai le reste quand elle eut rendu le dernier
15 soupir.

Le lendemain, je me rendis chez les Chouquet. Ils achevaient de déjeuner,* en face l'un de l'autre, gros et rouges,
fleurant les produits pharmaceutiques, importants et satis-
faits.

20 On me fit asseoir; [58] on m'offrit un kirsch, que j'acceptai;
et je commençai mon discours d'une voix émue, persuadé
qu'ils allaient pleurer.

Dès qu'il eut compris qu'il avait été aimé de cette vagabonde, de cette rempailleuse, de cette rouleuse, Chouquet
25 bondit d'indignation, comme si elle lui [120] avait volé sa réputation, l'estime des honnêtes gens, son honneur intime,
quelque chose de délicat qui lui était plus cher que la vie.

Sa femme, aussi exaspérée que lui, répétait: «Cette gueuse!
cette gueuse, cette gueuse! . . .» sans pouvoir trouver autre
30 chose.*

Il s'était [212] levé; il marchait à grands pas derrière la table,
le bonnet grec chaviré sur une oreille. Il balbutiait: «Com-

Line 17. **Ils achevaient de déjeuner** *They were just finishing lunch.*
Line 30. **trouver autre chose** *to find anything else (to say).*

prend-on ça,* docteur? Voilà de ces choses horribles pour un homme!* Que faire? Oh! si je l'avais su de son vivant, je l'aurais fait [59] arrêter par la gendarmerie et flanquer en prison. Et elle n'en serait [221] pas sortie, je vous en [121] réponds!»

Je demeurais stupéfait du résultat de ma démarche pieuse. Je ne savais que dire ni que faire. Mais j'avais à compléter ma mission. Je repris: «Elle m'a chargé de vous remettre ses économies, qui montent à deux mille trois cents francs. Comme ce que je viens de vous apprendre semble vous être fort désagréable, le mieux serait peut-être de donner cet argent aux pauvres.»

Ils me regardaient, l'homme et la femme, perclus de saisissement.

Je tirai l'argent de ma poche, du misérable argent de tous les pays et de toutes les marques,* de l'or et des sous mêlés. Puis je demandai: «Que décidez-vous?»*

Mme Chouquet parla la première:* «Mais, puisque c'était sa dernière volonté, à cette femme [332] . . ., il me semble qu'il nous est bien difficile de refuser.»

Le mari, vaguement confus, reprit: «Nous pourrions toujours acheter avec ça quelque chose pour nos enfants.»

Je dis d'un air sec: «Comme vous voudrez.»

Il reprit: «Donnez toujours,* puisqu'elle vous en [122] a chargé; nous trouverons bien moyen de l'employer à quelque bonne œuvre.»

Je remis l'argent, je saluai, et je partis.

Le lendemain Chouquet vint me trouver et, brusquement:

Line 1. **Comprend-on ça** *Can you conceive of such a thing?*
Line 2. **Voilà de ces choses horribles pour un homme!** *There's an example of what can happen to a man!*
Line 15. **et de toutes les marques** *and with all kinds of emblems on it.*
Line 16. **Que décidez-vous?** *What are you going to decide?*
Line 17. **Mme Chouquet parla la première** *Mme Chouquet was the first to speak.*
Line 23. **Donnez toujours** *Give it to me anyhow.*

«Mais elle a laissé ici sa voiture, cette . . . cette femme.[333] Qu'est-ce que vous en faites de cette voiture?» [334]

—«Rien, prenez-la si vous voulez.»

—«Parfait; cela me va; j'en ferai une cabane pour mon 5 potager.»

Il s'en allait. Je le rappelai. «Elle a laissé aussi son vieux cheval et ses deux chiens. Les voulez-vous?» Il s'arrêta, surpris: «Ah! non, par exemple;* que voulez-vous que j'en fasse? [287] Disposez-en [123] comme vous voudrez.» Et il riait. 10 Puis il me tendit sa main que je serrai. Que voulez-vous? Il ne faut pas dans un pays, que le médecin et le pharmacien soient [295] ennemis.

J'ai gardé les chiens chez moi. Le curé, qui a une grande cour, a pris le cheval. La voiture sert de cabane à Chouquet; 15 et il a acheté cinq obligations de chemin de fer avec l'argent.

Voilà le seul amour profond que j'aie [311] rencontré dans ma vie.

Le médecin se tut.

Alors la marquise, qui avait des larmes dans les yeux, 20 soupira: «Décidément, il n'y a que les femmes pour savoir aimer!»*

Line 8. **Ah! non, par exemple** *Oh, no, I should say not.*
Line 21. **il n'y a que les femmes pour savoir aimer!** *only women know how to love!*

Le chemin montait doucement au milieu de la forêt d'Aïtône. Les sapins démesurés élargissaient sur nos têtes une
voûte gémissante, poussaient une sorte de plainte continue
et triste, tandis qu'à droite comme à gauche leurs troncs
minces et droits faisaient une sorte d'armée de tuyaux d'orgue   5
d'où [35] semblait sortir cette musique monotone du vent dans
les cimes.

Au bout de trois heures de marche, la foule de ces longs
fûts emmêlés s'éclaircit; de place en place, un pin-parasol
gigantesque, séparé des autres, ouvert comme une ombrelle   10
énorme, étalait son dôme d'un vert sombre; puis soudain
nous atteignîmes les limites de la forêt, quelque cent mètres
au-dessous du défilé qui conduit dans la sauvage vallée du
Niolo.

Sur les deux sommets élancés qui dominent ce passage,   15
quelques vieux arbres difformes semblent avoir monté péniblement, comme des éclaireurs partis [150] devant la multitude
tassée derrière. Nous étant [227] retournés nous aperçûmes
toute la forêt, étendue sous nous, pareille à une immense
cuvette de verdure dont [2] les bords, qui semblaient toucher   20
au ciel, étaient faits de rochers nus l'enfermant de toutes
parts.

On se remit en route, et dix minutes plus tard nous atteignîmes le défilé.

Alors j'aperçus un surprenant pays. Au delà d'une autre   25
forêt, une vallée, mais une vallée comme je n'en avais jamais
vu, une solitude de pierre, longue de dix lieues, creusée entre
des montagnes hautes de deux mille mètres et sans un champ,
sans un arbre visible. C'est le Niolo, la patrie de la liberté

corse, la citadelle inaccessible d'où jamais les envahisseurs
n'ont pu chasser les montagnards.

Mon compagnon me dit:

—C'est aussi là que [36] se sont [189] réfugiés tous nos bandits.

5   Bientôt nous fûmes au fond de ce trou sauvage et d'une
inimaginable beauté.

Pas une herbe, pas une plante: du granit, rien que du
granit. A perte de vue devant nous, un désert de granit
étincelant, chauffé comme un four par un furieux soleil qui
10 semble exprès suspendu au-dessus de cette gorge de pierre.
Quand on lève les yeux vers les crêtes, on s'arrête ébloui et
stupéfait.   Elles paraissent rouges et dentelées comme des
festons de corail, car tous les sommets sont en porphyre; et
le ciel au-dessus semble violet, lilas, décoloré par le voisinage
15 de ces étranges montagnes.   Plus bas le granit est gris scintil-
lant, et sous nos pieds il semble râpé, broyé; nous marchons
sur de la poudre luisante.   A notre droite, dans une longue
et tortueuse ornière, un torrent tumultueux gronde et court.
Et on chancelle sous cette chaleur, dans cette lumière, dans
20 cette vallée brûlante, aride, sauvage, coupée par ce ravin
d'eau turbulente qui semble se hâter de fuir, impuissante à
féconder ces rocs, perdue en cette fournaise qui la boit avidement sans en être jamais pénétrée et rafraîchie.

Mais soudain apparut* à notre droite une petite croix de
25 bois enfoncée dans un petit tas de pierres.   Un homme avait
été tué là, et je dis à mon compagnon:

—Parlez-moi donc de vos bandits.

Il reprit:

—J'ai connu le plus célèbre, le terrible Sainte-Lucie, je
30 vais vous conter son histoire.

«Son père avait été tué dans une querelle, par un jeune
homme du même pays, disait-on; et Sainte-Lucie était [212]
resté seul avec sa sœur.   C'était un garçon faible et timide,

Line 24. **apparut** *there appeared.*

petit, souvent malade, sans énergie aucune. Il ne déclara
pas la vendetta à l'assassin de son père. Tous ses parents le
vinrent trouver, le supplièrent de se venger; il restait sourd à
leurs menaces et à leurs supplications.

Alors, suivant la vieille coutume corse, sa sœur, indi-   5
gnée, lui [124] enleva ses vêtements noirs, afin qu'il ne portât [300] pas le deuil d'un mort resté [151] sans vengeance. Il
resta même insensible à cet outrage, et, plutôt que de
décrocher le fusil encore chargé du père, il s'enferma, ne
sortit plus, n'osant pas braver les regards dédaigneux des   10
garçons du pays.

Des mois se passèrent. Il semblait avoir oublié jusqu'au
crime et il vivait avec sa sœur au fond de son logis.*

Or, un jour, celui qu'on soupçonnait de l'assassinat se
maria. Sainte-Lucie ne sembla pas ému par cette nouvelle;   15
mais voici que, pour le braver sans doute, le fiancé, se rendant
à l'église, passa devant la maison des deux orphelins.

Le frère et la sœur, à leur fenêtre, mangeaient des petits
gâteaux frits quand le jeune homme aperçut la noce qui
défilait devant son logis. Tout à coup il se mit à trembler, se   20
leva sans dire un mot, se signa, prit le fusil pendu sur l'âtre,
et il sortit.

Quand il parlait de cela plus tard, il disait: «Je ne sais
pas ce que j'ai eu; ç'a été comme une chaleur dans mon sang;
j'ai bien senti qu'il le fallait; que malgré tout je ne pourrais   25
pas résister, et j'ai été [339] cacher le fusil dans le maquis, sur
la route de Corte.»

Une heure plus tard, il rentrait les mains vides, avec son
air habituel, triste et fatigué. Sa sœur crut qu'il ne pensait
plus à rien.   30

Mais à la nuit tombante il disparut.

Son ennemi devait [261] le soir même, avec ses deux garçons
d'honneur, se rendre à pied à Corte.

Line 13. au fond de son logis *inside his home* (away from everybody).

Ils suivaient la route en chantant, quand Sainte-Lucie se dressa devant eux, et, regardant en face le meurtrier, il cria: «C'est le moment!» puis, à bout portant, il lui creva la [232] poitrine.

Un des garçons d'honneur s'enfuit, l'autre regardait le jeune homme en répétant:

—Qu'est-ce que tu as fait, Sainte-Lucie?

Puis il voulut courir à Corte pour chercher du secours. Mais Sainte-Lucie lui cria:

—Si tu fais un pas de plus, je vais te casser la [233] jambe.

L'autre, le sachant jusque-là si timide, lui dit:

—Tu n'oserais pas! et il passa. Mais il tombait aussitôt la cuisse brisée par une balle.

Et Sainte-Lucie, s'approchant de lui, reprit:

—Je vais regarder ta blessure; si elle n'est pas grave, je te laisserai là; si elle est mortelle, je t'achèverai.

Il considéra la plaie, la jugea mortelle, rechargea lentement son fusil, invita le blessé à faire une prière, puis il lui brisa le [234] crâne.

Le lendemain il était dans la montagne.

Et savez-vous ce qu'il a fait ensuite, ce Sainte-Lucie?

Toute sa famille fut arrêtée par les gendarmes. Son oncle le curé, qu'on soupçonnait de l'avoir incité à la vengeance, fut lui-même mis en prison et accusé par les parents du mort. Mais il s'échappa, prit un fusil à son tour et rejoignit son neveu dans le maquis.

Alors Sainte-Lucie tua, l'un après l'autre, les accusateurs de son oncle, et leur arracha les [235] yeux pour apprendre aux autres à ne jamais affirmer ce qu'ils n'avaient pas vu de leurs yeux.

Il tua tous les parents, tous les alliés de la famille ennemie. Il massacra en sa vie quatorze gendarmes, incendia les maisons de ses adversaires et fut jusqu'à sa mort le plus terrible des bandits dont [16] on ait [312] gardé le souvenir.»

Le soleil disparaissait derrière le Monte Cinto et la grande ombre du mont de granit se couchait sur le granit de la vallée. Nous hâtions le pas pour atteindre avant la nuit le petit village d'Albertacce, sorte de tas de pierres soudées aux flancs de pierre de la gorge sauvage. Et je dis, pensant au bandit: 5

—Quelle terrible coutume que celle de votre vendetta!*

Mon compagnon reprit avec résignation:

—Que voulez-vous? on fait son devoir!

Line 6. **Quelle terrible coutume que celle de votre vendetta!** *What a terrible custom your vendetta is!*

LA LÉGENDE DU MONT–SAINT–MICHEL

Je l'avais vu d'abord de Cancale, ce château de fées planté
dans la mer. Je l'avais vu confusément, ombre grise dressée [152]
sur le ciel brumeux.

Je le revis d'Avranches, au soleil couchant. L'immensité des
5 sables était rouge, l'horizon était rouge, toute la baie* démé-
surée était rouge; seule, l'abbaye escarpée, poussée [153] là-bas,
loin de la terre, comme un manoir fantastique, stupéfiante
comme un palais de rêve, invraisemblablement étrange et
belle, restait presque noire dans les pourpres du jour mou-
10 rant.

J'allai vers elle le lendemain dès l'aube, à travers les sables,
l'œil tendu sur ce bijou monstrueux, grand comme une
montagne, ciselé comme un camée et vaporeux comme une
mousseline. Plus j'approchais, plus je me sentais soulevé
15 d'admiration, car rien au monde peut-être n'est plus étonnant et plus parfait.

Et j'errai, surpris comme si j'avais découvert l'habitation
d'un dieu à travers ces salles portées par des colonnes légères
ou pesantes, à travers ces couloirs percés à jour, levant mes
20 yeux émerveillés sur ces clochetons qui semblent des fusées
parties [154] vers le ciel et sur tout cet emmêlement incroyable
de tourelles, de gargouilles, d'ornements sveltes et charmants,
feu d'artifice de pierre, dentelle de granit, chef-d'œuvre d'architecture colossale et délicate.

25 Comme je restais en extase, un paysan bas-normand
m'aborda et me raconta l'histoire de la grande querelle de
saint Michel avec le diable.

Line 5. **toute la baie,** i.e., the Bay of Mont-Saint-Michel.

20

Un sceptique de génie* a dit: «Dieu a fait l'homme à son image, mais l'homme le lui a bien rendu.»*

Ce mot est d'une éternelle vérité et il serait fort curieux de faire dans chaque continent l'histoire de la divinité locale, ainsi que l'histoire des saints patrons dans chacune de nos provinces. Le nègre a des idoles féroces, mangeuses d'hommes; le mahométan polygame peuple* son paradis de femmes; les Grecs, en gens pratiques, avaient divinisé toutes les passions.

Chaque village de France est placé sous l'invocation d'un saint protecteur, modifié à l'image des habitants.

Or saint Michel veille sur la Basse-Normandie, saint Michel, l'ange radieux et victorieux, le porte-glaive, le héros du ciel, le triomphant, le dominateur de Satan.

Mais voici comment le Bas-Normand, rusé, cauteleux, sournois et chicanier, comprend et raconte la lutte du grand saint avec le diable:

«Pour se mettre à l'abri des méchancetés du démon, son voisin, saint Michel construisit lui-même, en plein Océan, cette habitation digne d'un archange; et, seul, en effet, un pareil saint pouvait se créer une semblable résidence.

Mais, comme il redoutait encore les approches du Malin, il entoura son domaine de sables mouvants plus perfides que la mer.

Le diable habitait une humble chaumière sur la côte; mais il possédait les prairies baignées d'eau salée, les belles terres grasses où [37] poussent les récoltes lourdes, les riches vallées et les coteaux féconds de tout le pays; tandis que le saint ne

Line 1. **Un sceptique de génie** Voltaire, in *Le Sottisier* under heading: *Faits Détachés et Bons Mots.*

Line 2. **l'homme le lui a bien rendu** *man has paid him back amply for it,* i.e., by creating God (the anthropomorphic God) in his (man's) image. Voltaire's actual words were: Si Dieu nous a faits à son image, nous le lui avons bien rendu.

Line 7. **peuple** This is a verb.

régnait que sur les sables. De sorte que Satan était riche, et
saint Michel était pauvre comme un gueux.

Après quelques années de jeûne, le saint s'ennuya de cet
état de choses et pensa à passer un compromis avec le diable;
mais la chose n'était guère facile, Satan tenant à ses mois-
sons.

Il réfléchit pendant six mois; puis, un matin, il s'achemina
vers la terre. Le démon mangeait la soupe devant sa porte
quand il aperçut le saint; aussitôt il se précipita à sa rencontre, baisa le bas de sa manche, le fit [60] entrer et lui offrit
de se rafraîchir.

Après avoir bu une jatte de lait, saint Michel prit la parole:

—Je suis [190] venu pour te proposer une bonne affaire.

Le diable, candide et sans défiance, répondit:

—Ça me va.

—Voici. Tu me céderas toutes tes terres.

Satan, inquiet, voulut parler:

—Mais . . .

Le saint reprit:

—Écoute d'abord. Tu me céderas toutes tes terres. Je me
chargerai de l'entretien, du travail, des labourages, des se-
mences, du fumage, de tout enfin, et nous partagerons la
récolte par moitié. Est-ce dit?

Le diable, naturellement paresseux, accepta.

Il demanda seulement en plus quelques-uns de ces délicieux
surmulets qu'on pêche autour du mont solitaire. Saint Michel
promit les poissons.

Ils se [270] tapèrent dans la main, crachèrent de côté pour indiquer que l'affaire était faite, et le saint reprit:

—Tiens, je ne veux pas que tu aies [288] à te plaindre de moi.
Choisis ce que tu préfères: la partie des récoltes qui sera sur
terre ou celle qui restera dans la terre.

Satan s'écria:

—Je prends celle qui sera sur terre.

—C'est entendu, dit le saint.

Et il s'en alla.

Or, six mois après, dans l'immense domaine du diable, on
ne voyait que des carottes, des navets, des oignons, des salsifis, toutes les plantes dont [3] les racines grasses sont bonnes 5
et savoureuses, et dont [4] la feuille inutile sert tout au plus à
nourrir les bêtes.

Satan n'eut rien et voulut rompre le contrat, traitant
saint Michel de «malicieux.»

Mais le saint avait pris goût à la culture; il retourna trou- 10
ver le diable:

—Je t'assure que je n'y [125] ai point pensé du tout; ça s'est [191]
trouvé comme ça; il n'y a point de ma faute.* Et, pour te
dédommager, je t'offre de prendre, cette année, tout ce qui
se trouvera sous terre. 15

—Ça me va, dit Satan.

Au printemps suivant, toute l'étendue des terres de l'Esprit du mal était couverte de blés épais, d'avoines grosses
comme des clochetons, de lins, de colzas magnifiques, de
trèfles rouges, de pois, de choux, d'artichauts, de tout ce qui 20
s'épanouit au soleil en graines ou en fruits.*

Satan n'eut encore rien et se fâcha tout à fait.

Il reprit ses prés et ses labours et resta sourd à toutes les
ouvertures nouvelles de son voisin.

Une année entière s'écoula. Du haut de son manoir isolé, 25
saint Michel regardait la terre lointaine et féconde, et voyait
le diable dirigeant les travaux, rentrant les récoltes, battant
ses grains. Et il rageait, s'exaspérant de son impuissance. Ne
pouvant plus duper Satan, il résolut de s'en [126] venger, et il
alla le prier à dîner pour le lundi suivant. 30

—Tu n'as pas été heureux dans tes affaires avec moi,
disait-il, je le sais; mais je ne veux pas qu'il [265] reste [289] de

Line 13. **il n'y a point de ma faute** *there is no fault of mine in it.*
Line 21. **en graines ou en fruits** *in the way of grain or fruit.*

rancune entre nous, et je compte que tu viendras dîner avec moi. Je te ferai [61] manger de bonnes choses.

Satan, aussi gourmand que paresseux, accepta bien vite. Au jour dit, il revêtit ses plus beaux habits et prit le chemin du Mont.

Saint Michel le fit [62] asseoir à une table magnifique. On servit d'abord un vol-au-vent plein de crêtes et de rognons de coq, avec des boulettes de chair à saucisse, puis deux gros surmulets à la crème, puis une dinde blanche pleine de marrons confits dans du vin, puis un gigot de pré-salé, tendre comme du gâteau; puis des légumes qui fondaient dans la bouche et de la bonne galette chaude, qui fumait en répandant un parfum de beurre.

On but du cidre pur, mousseux et sucré, et du vin rouge et capiteux, et, après chaque plat, on faisait un trou avec de la vieille eau-de-vie de pommes.

Le diable but et mangea comme un coffre,* tant et si bien qu'il se trouva gêné.

Alors saint Michel, se levant formidable, se rua sur lui. Satan éperdu s'enfuit, et le saint, saisissant un bâton, le poursuivit.

Ils couraient par les salles basses, tournant autour des piliers, montaient les escaliers aériens, galopaient le long des corniches, sautaient de gargouille en gargouille. Le pauvre démon fuyait; il se trouva enfin sur la dernière terrasse, tout en haut, d'où l'on découvre la baie immense avec ses villes lointaines, ses sables et ses pâturages. Il ne pouvait échapper plus longtemps; et le saint, lui jetant dans le dos un coup de pied furieux, le lança comme une balle à travers l'espace.

Il fila dans le ciel ainsi qu'un javelot, et s'en vint tomber lourdement devant la ville de Mortain. Les cornes de son front et les griffes de ses membres entrèrent profondément

---

Line 17. **but et mangea comme un coffre** *stuffed himself with food and drink.*

dans le rocher, qui garde pour l'éternité les traces de cette chute de Satan.

Il se releva boiteux, estropié jusqu'à la fin des siècles; et, regardant au loin le Mont fatal, dressé comme un pic dans le soleil couchant, il comprit bien qu'il serait toujours vaincu dans cette lutte inégale, et il partit en traînant la jambe, se dirigeant vers des pays éloignés, abandonnant à son ennemi ses champs, ses plaines, ses coteaux, ses vallées et ses prés.»

Et voilà comment saint Michel, patron des Normands, punit le diable de sa gloutonnerie et le vainquit.

Un autre peuple avait rêvé autrement cette bataille.

UN COUP D'ÉTAT

Paris venait d'apprendre le désastre de Sedan. La République* était proclamée. La France entière haletait au début de cette démence qui dura jusqu'après la Commune. On jouait au soldat d'un bout à l'autre du pays.

5 Des bonnetiers étaient colonels faisant fonctions de généraux; des revolvers et des poignards s'étalaient autour de gros ventres pacifiques enveloppés de ceintures rouges; des petits bourgeois devenus [155] guerriers d'occasion commandaient des bataillons de volontaires braillards et juraient comme des
10 charretiers pour se donner de la prestance.

Le seul fait de tenir des armes, de manier des fusils à système affolait ces gens qui n'avaient jusqu'ici manié que des balances, et les rendait, sans aucune raison, redoutables au premier venu. On exécutait des innocents pour prouver
15 qu'on savait tuer; on fusillait, en rôdant par les campagnes vierges encore de Prussiens, les chiens errants, les vaches ruminant en paix, les chevaux malades pâturant dans les herbages.

Chacun se croyait appelé à jouer un grand rôle militaire.
20 Les cafés des moindres villages, pleins de commerçants en uniforme, ressemblaient à des casernes ou à des ambulances.

Le bourg de Canneville ignorait encore les affolantes nouvelles de l'armée et de la capitale; mais une extrême agitation le remuait [176] depuis un mois, les partis adverses se trouvant
25 face à face.

Le maire, M. le vicomte de Varnetot, petit homme maigre, vieux déjà, légitimiste rallié à l'Empire depuis peu, par am-

Line 2. **La République** The Third Republic, proclaimed September 4, 1870.

26

bition, avait vu [96] surgir un adversaire déterminé dans le docteur Massarel, gros homme sanguin, chef du parti républicain dans l'arrondissement, vénérable de la loge maçonnique du chef-lieu, président de la Société d'agriculture et du banquet des pompiers, et organisateur de la milice rurale qui devait [262] sauver la contrée. 5

En quinze jours, il avait trouvé le moyen de décider à la défense du pays soixante-trois volontaires mariés et pères de famille, paysans prudents et marchands du bourg, et il les exerçait, chaque matin, sur la place de la mairie. 10

Quand le maire, par hasard, venait au bâtiment communal, le commandant Massarel, bardé de pistolets, passant fièrement, le sabre en main, devant le front de sa troupe, faisait [63] hurler à son monde: «Vive la patrie!» [325] Et ce cri, on l'avait remarqué, agitait le petit vicomte, qui voyait là sans doute 15 une menace, un défi, en même temps qu'un souvenir odieux de la grande Révolution.*

Le 5 septembre au matin, le docteur en uniforme, son revolver sur sa table, donnait une consultation à un couple de vieux campagnards, dont [5] l'un, le mari, atteint de varices 20 depuis sept ans, avait attendu que sa femme en eût [302] aussi pour venir trouver le médecin, quand le facteur apporta le journal.*

M. Massarel l'ouvrit, pâlit, se dressa brusquement, et, levant les deux bras au ciel dans un geste d'exaltation, il se 25 mit à vociférer de toute sa voix devant les deux ruraux affolés:

—Vive la République! [326] vive la République! vive la République!

Puis il retomba sur son fauteuil, défaillant d'émotion. 30

Line 17. **la grande Révolution**   The French Revolution, which began in 1789 with the fall of the Bastile.

Line 23. **quand le facteur apporta le journal**   This is a clause modifying donnait in line 19.

Et comme le paysan reprenait: «Ça a commencé par des fourmis* qui me couraient censément le long des [236] jambes,» le docteur Massarel s'écria:

—Fichez-moi la paix; j'ai bien le temps* de m'occuper de
5 vos bêtises.   La République est proclamée, l'empereur est prisonnier, la France est sauvée. Vive la République! [326] Et courant à la porte, il beugla: Céleste, vite, Céleste!

La bonne épouvantée accourut; il bredouillait, tant [279] il parlait rapidement.

10 —Mes bottes, mon sabre, ma cartouchière et le poignard espagnol qui est sur ma table de nuit: dépêche-toi!

Comme le paysan obstiné, profitant d'un instant de silence, continuait:

—Ça a devenu* comme des poches qui me faisaient mal en
15 marchant.

Le médecin exaspéré hurla:

—Fichez-moi donc la paix, nom d'un chien, si vous vous étiez [213] lavé les [237] pieds, ça ne serait [222] pas arrivé.

Puis, le saisissant au collet, il lui jeta dans la [238] figure:

20 —Tu ne sens donc pas que nous sommes en république, triple brute?

Mais le sentiment professionnel le calma tout aussitôt, et il poussa dehors le ménage abasourdi, en répétant:

—Revenez demain, revenez demain, mes amis. Je n'ai pas
25 le temps aujourd'hui.

Tout en s'équipant des pieds à la tête, il donna de nouveau une série d'ordres urgents à sa bonne:

—Cours chez le lieutenant Picart et chez le sous-lieutenant Pommel, et dis-leur que je les attends ici immédiate-
30 ment. Envoie-moi aussi Torchebeuf avec son tambour, vite, vite.

Line 2. **par des fourmis** *with (a sensation of) ants.*
Line 4. **j'ai bien le temps** . . . *do you think I have time* . . .?
Line 14. **Ça a devenu = Ça est devenu** *That became* . . .

Et quand Céleste fut [217] sortie, il se recueillit, se préparant à surmonter les difficultés de la situation.

Les trois hommes arrivèrent ensemble, en vêtement de travail. Le commandant, qui s'attendait à les voir en tenue, eut un sursaut.

Vous ne savez donc rien,* sacrebleu? L'empereur est prisonnier, la République est proclamée. Il faut agir. Ma position est délicate, je dirai plus, périlleuse.

Il réfléchit quelques secondes devant les visages ahuris de ses subordonnés, puis reprit:

—Il faut agir et ne pas hésiter; les minutes valent des heures dans des instants pareils. Tout dépend de la promptitude des décisions. Vous, Picart, allez trouver le curé et sommez-le de sonner le tocsin pour réunir la population que je vais prévenir. Vous, Torchebeuf, battez le rappel dans toute la commune jusqu'aux hameaux de la Gerisaie et de Salmare pour rassembler la milice en armes sur la place. Vous, Pommel, revêtez promptement votre uniforme, rien que la tunique et le képi. Nous allons occuper ensemble la mairie et sommer M. de Varnetot de me remettre ses pouvoirs. C'est compris?

—Oui.

—Exécutez, et promptement. Je vous accompagne jusque chez vous, Pommel, puisque nous opérons ensemble.

Cinq minutes plus tard, le commandant et son subalterne, armés jusqu'aux dents, apparaissaient sur la place juste aux moment où le petit vicomte de Varnetot, les jambes guêtrées comme pour une partie de chasse, son lefaucheux sur l'épaule, débouchait à pas rapides par l'autre rue, suivi de ses trois gardes en tunique verte, le couteau sur la cuisse et le fusil en bandoulière.

Pendant que le docteur s'arrêtait, stupéfait, les quatre

Line 6. **Vous ne savez donc rien** *You don't know the news?*

hommes pénétrèrent dans la mairie dont [6] la porte se referma derrière eux.

—Nous sommes devancés, murmura le médecin, il faut maintenant attendre du renfort. Rien à faire pour le quart d'heure.

Le lieutenant Picart reparut:

—Le curé a refusé d'obéir, dit-il; il s'est [192] même enfermé dans l'église avec le bedeau et le suisse.

Et, de l'autre côté de la place, en face de la mairie blanche et close, l'église, muette et noire, montrait sa grande porte de chêne garnie de ferrures de fer.

Alors, comme les habitants intrigués mettaient le nez aux fenêtres ou sortaient sur le seuil des maisons, le tambour soudain roula, et Torchebeuf apparut, battant avec fureur les trois coups précipités du rappel. Il traversa la place au pas gymnastique, puis disparut dans le chemin des champs.

Le commandant tira son sabre, s'avança seul, à moitié distance environ entre les deux bâtiments où [38] s'était [212] barricadé l'ennemi et, agitant son arme au-dessus de sa tête, il mugit de toute la force de ses poumons:

—Vive la République! [326] Mort aux traîtres! Puis il se replia vers ses officiers.

Le boucher, le boulanger et le pharmacien, inquiets, accrochèrent leurs volets et fermèrent leurs boutiques. Seul l'épicier demeura ouvert.

Cependant les hommes de la milice arrivaient peu à peu, vêtus diversement et tous coiffés d'un képi noir à galon rouge, le képi constituant tout l'uniforme du corps. Ils étaient armés de leurs vieux fusils rouillés, ces vieux fusils pendus depuis trente ans sur les cheminées des cuisines, et ils ressemblaient assez à un détachement de gardes champêtres.

Lorsqu'il en eut une trentaine autour de lui, le commandant, en quelques mots, les mit au fait des événements; puis se tournant vers son état-major: «Maintenant, agissons,» dit-il.

Les habitants se rassemblaient, examinaient et devisaient.

Le docteur eut vite arrêté son plan de campagne:*

—Lieutenant Picart, vous allez vous avancer sous les fenêtres de cette mairie et sommer M. de Varnetot, au nom de la République, de me remettre la maison de ville.

Mais le lieutenant, un maître maçon, refusa:

—Vous êtes encore un malin, vous. Pour me faire [64] flanquer un coup de fusil, merci. Ils tirent bien, ceux qui sont là dedans, vous savez. Faites vos commissions vous-même.

Le commandant devint rouge.

—Je vous ordonne d'y aller au nom de la discipline.

Le lieutenant se révolta:

—Plus souvent que je me ferai [65] casser la figure sans savoir pourquoi.

Les notables, rassemblés en un groupe voisin, se mirent à rire. Un d'eux cria:

—T'as raison, Picart, c'est pas l'moment!*

Le docteur, alors, murmura:

—Lâches!

Et, déposant son sabre et son revolver aux mains d'un soldat, il s'avança d'un pas lent, l'œil fixé sur les fenêtres, s'attendant à en voir [97] sortir un canon de fusil braqué sur lui.

Comme il n'était qu'à quelques pas du bâtiment, les portes des deux extrémités donnant entrée dans les deux écoles* s'ouvrirent, et un flot de petits êtres, garçons par-ci, filles par-là, s'en [127] échappèrent et se mirent à jouer sur la grande place vide, piaillant, comme un troupeau d'oies, autour du docteur, qui ne pouvait se faire [66] entendre.

Line 2. Le docteur eut vite arrêté son plan de campagne *The doctor soon had his campaign planned.*

Line 18. T'as raison, Picart, c'est pas l'moment = Tu as raison, Picart, ce n'est pas le moment.

Line 26. les deux écoles, i.e., the boys' school and the girls' school.

Aussitôt les derniers élèves sortis,[168] les deux portes s'étaient [214] refermées.

Le gros des marmots enfin se dispersa, et le commandant appela d'une voix forte:

5   —Monsieur de Varnetot?

Une fenêtre du premier étage s'ouvrit. M. de Varnetot parut.

Le commandant reprit:

—Monsieur, vous savez les grands événements qui vien-
10 nent de changer la face du gouvernement. Celui que vous représentiez n'est plus. Celui que je représente monte au pouvoir. En ces circonstances douloureuses, mais décisives, je viens vous demander, au nom de la nouvelle République, de remettre en mes mains les fonctions dont [24] vous avez
15 été investi par le précédent pouvoir.

M. de Varnetot répondit:

—Monsieur le docteur, je suis maire de Canneville, nommé par l'autorité compétente, et je resterai maire de Canneville tant que je n'aurai pas été révoqué et remplacé par un
20 arrêté de mes supérieurs. Maire, je suis chez moi dans la mairie,* et j'y reste. Au surplus, essayez de m'en faire [67] sortir.

Et il referma la fenêtre.

Le commandant retourna vers sa troupe. Mais, avant de
25 s'expliquer, toisant du haut en bas le lieutenant Picart.

—Vous êtes un crâne, vous; un fameux lapin, la honte de l'armée. Je vous casse de votre grade.

Le lieutenant répondit:

—Je m'en fiche un peu.*

30   Et il alla se mêler au groupe murmurant des habitants.

Line 21. **Maire, je suis chez moi dans la mairie** *As mayor the town-hall is my home.*

Line 29. **Je m'en fiche un peu** *I care about that!* or *That matters a lot to me!*

Alors le docteur hésita. Que faire? Donner l'assaut? Mais ses hommes marcheraient-ils? Et puis, en avait-il le droit?*

Une idée l'illumina. Il courut au télégraphe dont [7] le bureau faisait face à la mairie, de l'autre côté de la place. [5] Et il expédia trois dépêches:

A MM. les membres du gouvernement républicain, à Paris;

A M. le nouveau préfet républicain de la Seine-Inférieure, à Rouen; [10]

A M. le nouveau sous-préfet républicain de Dieppe.

Il exposait la situation, disait le danger couru par la commune demeurée [156] aux mains de l'ancien maire monarchiste, offrait ses services dévoués, demandait des ordres et signait en faisant [68] suivre son nom de tous ses titres. [15]

Puis il revint vers son corps d'armée et tirant dix francs de sa poche: «Tenez, mes amis, allez manger et boire un coup; laissez seulement ici un détachement de dix hommes pour que personne ne sorte [301] de la mairie.»

Mais l'ex-lieutenant Picart, qui causait avec l'horloger, [20] entendit;* il se mit à ricaner et prononça: «Pardi, s'ils sortent, ce sera une occasion d'entrer. Sans ça, je ne vous vois pas encore là dedans, moi!»

Le docteur ne répondit pas, et il alla déjeuner.

Dans l'après-midi, il disposa des postes tout autour de la [25] commune, comme si elle était menacée d'une surprise.

Il passa plusieurs fois devant les portes de la maison de ville et de l'église sans rien remarquer de suspect; on aurait cru vides ces deux bâtiments.

Le boucher, le boulanger et le pharmacien rouvrirent leurs [30] boutiques.

On jasait beaucoup dans les logis. Si l'empereur était

Line 3. **en avait-il le droit?** *did he have the right to?*
Line 21. **entendit** *heard (what he said).*

prisonnier, il y avait quelque traîtrise là-dessous. On ne
savait pas au juste laquelle des républiques* était [212] revenue.

La nuit tomba.

Vers neuf heures, le docteur s'approcha seul, sans bruit,
de l'entrée du bâtiment communal, persuadé que son adversaire était [212] parti se coucher; et, comme il se disposait
à enfoncer la porte à coups de pioche, une voix forte, celle
d'un garde, demanda tout à coup:

—Qui va là?

Et M. Massarel battit en retraite à toutes jambes.

Le jour se leva sans que rien fût [305] changé dans la situation.

La milice en armes occupait la place. Tous les habitants
s'étaient [214] réunis autour de cette troupe, attendant une
solution. Ceux des villages voisins arrivaient pour voir.

Alors, le docteur, comprenant qu'il jouait sa réputation,
résolut d'en [128] finir d'une manière ou d'une autre; et il allait
prendre une résolution quelconque, énergique assurément,
quand la porte du télégraphe s'ouvrit et la petite servante de
la directrice parut, tenant à la main deux papiers.

Elle se dirigea d'abord vers le commandant et lui remit
une des dépêches; puis, traversant le milieu désert de la
place, intimidée par tous les yeux fixés sur elle, baissant la
tête et trottant menu, elle alla frapper doucement à la
maison barricadée, comme si elle eût [317] ignoré qu'un parti
armé s'y cachait.

L'huis s'entre-bâilla; une main d'homme reçut le message,
et la fillette revint, toute rouge, prête à pleurer, d'être
dévisagée* ainsi par le pays entier.

Le docteur commanda d'une voix vibrante:

—Un peu de silence, s'il vous plaît.

Et comme le populaire s'était [212] tu, il reprit fièrement:

Line 2. **laquelle des républiques était revenue** There had been two re-
publics proclaimed before in France, the first in 1792 and the second in 1848.
Line 28. **d'être dévisagée** *from being stared at.*

—Voici la communication que je reçois du gouvernement. Et, élevant sa dépêche, il lut:

«Ancien maire révoqué. Veuillez aviser au plus pressé. Recevrez instructions ultérieures.*

«*Pour le sous-préfet,*   5

«Sapin, conseiller.»

Il triomphait; son cœur battait de joie; ses mains trem- blaient, mais Picart, son ancien subalterne, lui cria d'un groupe voisin:

—C'est bon, tout ça; mais si les autres ne sortent pas, ça 10 vous fait une belle jambe, votre papier.

Et M. Massarel pâlit. Si les autres ne sortaient pas, en effet, il fallait aller de l'avant maintenant. C'était non seule- ment son droit, mais aussi son devoir.

Et il regardait anxieusement la mairie, espérant qu'il 15 allait voir [98] la porte s'ouvrir et son adversaire se replier.

La porte restait fermée. Que faire? la foule augmentait, se serrait autour de la milice. On riait.

Une réflexion surtout torturait le médecin. S'il donnait l'assaut, il faudrait marcher à la tête de ses hommes; et 20 comme, lui mort,* toute contestation cesserait, c'était sur lui, sur lui seul que [39] tireraient M. de Varnetot et ses trois gardes. Et ils tiraient bien, très bien; Picart venait encore de le lui répéter. Mais une idée l'illumina et, se tournant vers Pommel: 25

—Allez vite prier le pharmacien de me prêter une serviette et un bâton.

Le lieutenant se précipita.

Il allait faire un drapeau parlementaire, un drapeau blanc, dont [8] la vue réjouirait peut-être le cœur légitimiste de 30 l'ancien maire.

Line 4. **Recevrez instructions ultérieures = Vous recevrez des instructions ultérieures.**

Line 21. **lui mort** *if he were dead.*

Pommel revint avec le linge demandé et un manche à balai. Au moyen de ficelles, on organisa cet étendard que M. Massarel saisit à deux mains; et il s'avança de nouveau vers la mairie en le tenant devant lui. Lorsqu'il fut en face 5 de la porte, il appela encore «Monsieur de Varnetot.» La porte s'ouvrit soudain, et M. de Varnetot apparut sur le seuil avec ses trois gardes.

Le docteur recula par un mouvement instinctif; puis il salua courtoisement son ennemi et prononça, étranglé par 10 l'émotion: «Je viens, Monsieur, vous communiquer les instructions que j'ai reçues.»

Le gentilhomme, sans lui rendre son salut, répondit: «Je me retire, Monsieur, mais sachez bien que ce n'est ni par crainte, ni par obéissance à l'odieux gouvernement qui usurpe 15 le pouvoir.» Et appuyant sur chaque mot, il déclara: «Je ne veux pas avoir l'air de servir un seul jour la République. Voilà tout.»

Massarel, interdit, ne répondit rien; et M. de Varnetot, se mettant en marche d'un pas rapide, disparut au coin de 20 la place, suivi toujours de son escorte.

Alors le docteur, éperdu d'orgueil, revint vers la foule. Dès qu'il fut assez près pour se faire [69] entendre, il cria: «Hurrah! hurrah! La République triomphe sur toute la ligne.»

Aucune émotion ne se manifesta.

25 Le médecin reprit: «Le peuple est libre, vous êtes libres, indépendants. Soyez fiers!»

Les villageois inertes le regardaient sans qu'aucune gloire illuminât [306] leurs yeux.

A son tour, il les contempla, indigné de leur indifférence, 30 cherchant ce qu'il pourrait dire, ce qu'il pourrait faire pour frapper un grand coup, électriser ce pays placide, remplir sa mission d'initiateur.

Mais une inspiration l'envahit et, se tournant vers Pommel: «Lieutenant, allez chercher le buste de l'ex-empereur qui est

dans la salle des délibérations du conseil municipal, et ap-
portez-le avec une chaise.»

Et bientôt l'homme reparut portant sur l'épaule droite le
Bonaparte de plâtre, et tenant de la main gauche une chaise
de paille.   5

M. Massarel vint au-devant de lui, prit la chaise, la posa
par terre, plaça dessus le buste blanc, puis se reculant de
quelques pas, l'interpella d'une voix sonore:

«Tyran, tyran, te voici tombé, tombé dans la boue, tombé
dans la fange. La patrie expirante râlait sous ta botte. Le   10
Destin vengeur t'a frappé. La défaite et la honte se sont [193]
attachées à toi; tu tombes vaincu, prisonnier du Prussien; et,
sur les ruines de ton empire croulant, la jeune et radieuse
République se dresse, ramassant ton épée brisée. . . .»

Il attendait des applaudissements. Aucun cri, aucun   15
battement de mains n'éclata. Les paysans effarés se taisaient; et le buste aux moustaches pointues qui dépassaient
les joues de chaque côté, le buste immobile et bien peigné
comme une enseigne de coiffeur, semblait regarder M. Massarel avec son sourire de plâtre, un sourire ineffaçable et mo-   20
queur.

Ils demeuraient ainsi face à face, Napoléon sur sa chaise,
le médecin debout, à trois pas de lui. Une colère saisit le
commandant. Mais que faire? que faire pour émouvoir ce
peuple et gagner définitivement cette victoire de l'opinion?   25

Sa main, par hasard, se posa sur son ventre, et il rencontra, sous sa ceinture rouge, la crosse de son revolver.

Aucune inspiration, aucune parole ne lui venaient plus.
Alors, il tira son arme, fit deux pas et, à bout portant, fou-
droya l'ancien monarque.   30

La balle creusa dans le front un petit trou noir, pareil à
une tache, presque rien. L'effet était manqué. M. Massarel
tira un second coup, qui fit un second trou, puis un troisième,
puis, sans s'arrêter, il lâcha les trois derniers. Le front de

Napoléon volait en poussière blanche, mais les yeux, le nez et les fines pointes des moustaches restaient intacts.

Alors exaspéré, le docteur renversa la chaise d'un coup de poing et, appuyant un pied sur le reste du buste, dans une posture de triomphateur, il se tourna vers le public abasourdi en vociférant: «Périssent ainsi tous les traîtres!» [327]

Mais comme aucun enthousiasme ne se manifestait encore, comme les spectateurs semblaient stupides d'étonnement, le commandant cria aux hommes de la milice: «Vous pouvez maintenant regagner vos foyers.» Et il se dirigea lui-même à grands pas vers sa maison, comme s'il eût [318] fui.

Sa bonne, dès qu'il parut, lui dit que des malades l'attendaient [177] depuis plus de trois heures dans son cabinet. Il y courut. C'étaient les deux paysans aux varices, revenus [157] dès l'aube, obstinés et patients.

Et le vieux aussitôt reprit son explication: «Ça a commencé par des fourmis* qui me couraient censément le long des [236] jambes. . . .»

Line 17. par des fourmis   See footnote to page 28, line 2.

GARÇON, UN BOCK! . 259

Pourquoi suis-je [194] entré, ce soir-là, dans cette brasserie?
Je n'en sais rien.* Il faisait froid. Une fine pluie, une poussière d'eau voltigeait, voilait les becs de gaz d'une brume
transparente, faisait [70] luire les trottoirs que [40] traversaient
les lueurs des devantures, éclairant la boue humide et les 5
pieds sales des passants.

Je n'allais nulle part. Je marchais un peu après dîner.
Je passai le Crédit Lyonnais, la rue Vivienne, d'autres
rues encore. J'aperçus soudain une grande brasserie à
moitié pleine. J'entrai, sans aucune raison. Je n'avais pas 10
soif.

D'un coup d'œil je cherchai une place où je ne serais point
trop serré, et j'allai m'asseoir à côté d'un homme qui me
parut vieux et qui fumait une pipe de deux sous, en terre,
noire comme un charbon. Six ou huit soucoupes de verre, 15
empilées sur la table devant lui, indiquaient le nombre de
bocks qu'il avait absorbés déjà. Je n'examinai pas mon
voisin. D'un coup d'œil j'avais reconnu un bockeur, un de
ces habitués de brasserie qui arrivent le matin, quand on
ouvre, et s'en vont le soir, quand on ferme. Il était sale, 20
chauve du milieu du crâne, tandis que de longs cheveux gras,
poivre et sel, tombaient sur le col de sa redingote. Ses habits
trop larges semblaient avoir été faits au temps où il avait du
ventre. On devinait que le pantalon ne tenait guère et que
cet homme ne pouvait faire dix pas sans rajuster et retenir ce 25
vêtement mal attaché. Avait-il un gilet? La seule pensée
des bottines et de ce qu'elles enfermaient me terrifia. Les

Line 2. **Je n'en sais rien** *I have no idea.*

manchettes effiloquées étaient complètement noires du bord,* comme les ongles.

Dès que je fus assis à son côté, ce personnage me dit d'une voix tranquille: «Tu vas bien?»

5 Je me tournai vers lui d'une secousse et je le dévisageai. Il reprit: «Tu ne me reconnais pas?»

—Non!

—Des Barrets.

Je fus stupéfait.   C'était le comte Jean des Barrets, mon
10 ancien camarade de collège.

Je lui serrai la [239] main, tellement interdit que je ne trouvai rien à dire.

Enfin, je balbutiai: «Et toi, tu vas bien?»

Il répondit placidement: «Moi, comme je peux.»*

15 Il se tut.   Je voulus être aimable, je cherchai une phrase:* «Et . . . qu'est-ce que tu fais?»

Il répliqua avec résignation: «Tu vois.»

Je me sentis rougir.   J'insistai: «Mais tous les jours?»

Il prononça, en soufflant d'épaisses bouffées de fumée:
20 «Tous les jours c'est la même chose.»

Puis, tapant sur le marbre de la table avec un sou qui traînait,* il s'écria: «Garçon, deux bocks!»

Une voix lointaine répéta: «Deux bocks au quatre!»* Une autre voix plus éloignée encore lança un «Voilà!» suraigu.

25 Puis un homme en tablier blanc apparut, portant les deux bocks dont [17] il répandait, en courant, les gouttes jaunes sur le sol sablé.

Des Barrets vida d'un trait son verre et le reposa sur la table, pendant qu'il aspirait la mousse restée [158] en ses mous-
30 taches.

Line 1. **du bord**   *on the edge.*
Line 14. **comme je peux**   *as well as I can.*
Line 15. **une phrase**   *something to say.*
Line 22. **qui traînait**   *which was lying there.*
Line 23. **au quatre**   *for number four* (the number of the table).

Puis il demanda: «Et quoi de neuf?»

Je ne savais rien de neuf à lui dire, en vérité. Je balbutiai: «Mais, rien, mon vieux. Moi je suis commerçant.»

Il prononça de sa voix toujours égale: «Et . . . ça
t'amuse?»* 5

—Non, mais que veux-tu? Il faut bien faire quelque chose!

—Pourquoi ça?

—Mais . . . pour s'occuper.

—A quoi ça sert-il? Moi, je ne fais rien, comme tu vois,
jamais rien. Quand on n'a pas le sou, je comprends qu'on 10
travaille.[294] Quand on a de quoi vivre, c'est inutile. A quoi
bon travailler? Le fais-tu pour toi ou pour les autres? Si tu
le fais pour toi, c'est que* ça t'amuse, alors très bien; si tu le
fais pour les autres, tu n'es qu'un niais.

Puis, posant sa pipe sur le marbre, il cria de nouveau: 15
«Garçon, un bock!» et reprit: «Ça me donne soif de parler.
Je n'en* ai pas l'habitude. Oui, moi, je ne fais rien, je me
laisse aller, je vieillis. En mourant je ne regretterai rien. Je
n'aurai pas d'autre souvenir que cette brasserie. Pas de
femme, pas d'enfants, pas de soucis, pas de chagrins, rien. 20
Ça vaut mieux.»

Il vida le bock qu'on lui avait apporté, passa sa langue sur
ses lèvres et reprit sa pipe.

Je le considérais avec stupeur. Je lui [129] demandai:

—Mais tu n'as pas toujours été ainsi? 25

—Pardon, toujours, dès le collège.*

—Ce n'est pas une vie,* ça, mon bon. C'est horrible.
Voyons, tu fais bien quelque chose, tu aimes quelque chose, tu
as des amis.

—Non. Je me lève à midi. Je viens ici, je déjeune, je bois 30

Line 5. ça t'amuse? *you enjoy that?*
Line 13. c'est que *it is because.*
Line 17. Je n'en ai pas l'habitude = Je n'ai pas l'habitude de parler.
Line 26. dès le collège *from the time I was in school.*
Line 27. Ce n'est pas une vie *That is no way to live.*

des bocks, j'attends la nuit, je dîne, je bois des bocks; puis,
vers une heure et demie du matin, je retourne me coucher,
parce qu'on ferme. C'est ce qui m'embête le plus. Depuis dix
ans,* j'ai bien passé six années sur cette banquette, dans mon
5 coin; et le reste dans mon lit, jamais ailleurs. Je cause quelquefois avec des habitués.

—Mais, en arrivant à Paris, qu'est-ce que tu as fait, tout
d'abord?

—J'ai fait mon droit . . . au café de Médicis.

10 —Mais après?

—Après . . . j'ai passé l'eau* et je suis [195] venu ici.

—Pourquoi as-tu pris cette peine?

—Que veux-tu, on ne peut pas rester toute sa vie au quartier latin. Les étudiants font trop de bruit. Maintenant je
15 ne bougerai plus. «Garçon, un bock!»

Je croyais qu'il se moquait de moi. J'insistai.

—Voyons, sois franc. Tu as eu quelques gros chagrin? Un
désespoir d'amour, sans doute? Certes, tu es un homme que
le malheur a frappé. Quel âge as-tu?

20 —J'ai trente-trois ans. Mais j'en parais au moins quarante-cinq.*

Je le regardai bien en face. Sa figure ridée, mal soignée,
semblait presque celle d'un vieillard. Sur le sommet du crâne,
quelques longs cheveux voltigeaient au-dessus de la peau
25 d'une propreté douteuse. Il avait des sourcils énormes, une
forte moustache et une barbe épaisse. J'eus brusquement,
je ne sais pourquoi, la vision d'une cuvette pleine d'eau
noirâtre, l'eau où [41] aurait été lavé tout ce poil.

Je lui dis: «En effet, tu as l'air plus vieux que ton âge.
30 Certainement tu as eu des chagrins.»

Line 4. **Depuis dix ans** *In the last ten years.*
Line 11. **j'ai passé l'eau** *I crossed the water* (the Seine).
Line 21. **j'en parais au moins quarante-cinq** *I appear to be at least forty-five* (of them, i.e., years).

Il répliqua: «Je t'assure que non. Je suis vieux parce que je ne prends jamais l'air. Il n'y a rien qui détériore les gens comme la vie de café.—Garçon, un bock!—Tu n'as pas soif?»

—Non, merci. Mais vraiment tu m'intéresses. Depuis quand as-tu [171] un pareil découragement? Ça n'est pas normal, ça n'est pas naturel. Il y a quelque chose là-dessous.

—Oui, ça date de mon enfance. J'ai reçu un coup, quand j'étais petit, et cela m'a tourné au noir pour jusqu'à la fin.

—Quoi donc?

—Tu veux le savoir? écoute. Tu te rappelles bien le château où je fus élevé, puisque tu y es [196] venu cinq ou six fois pendant les vacances? Tu te rappelles ce grand bâtiment gris, au milieu d'un grand parc, et les longues avenues de chênes, ouvertes vers les quatre points cardinaux! Tu te rappelles mon père et ma mère, tous les deux cérémonieux, solennels et sévères.

J'adorais ma mère; je redoutais mon père, et je les respectais tous les deux, accoutumé d'ailleurs à voir tout le monde courbé devant eux. Ils étaient, dans le pays, M. le comte et Mme la comtesse; et nos voisins aussi, les Tannemare, les Ravelet, les Brenneville, montraient pour mes parents une considération supérieure.

J'avais alors treize ans. J'étais gai, content de tout, comme on l'est à cet âge-là,* tout plein du bonheur de vivre.

Or, vers la fin de septembre, quelques jours avant ma rentrée au collège, comme je jouais à faire le loup* dans les massifs du parc, courant au milieu des branches et des feuilles, j'aperçus, en traversant une avenue, papa et maman qui se promenaient.

Je me rappelle cela comme d'hier. C'était par un jour de

Line 25. **comme on l'est à cet âge-là** *as one is at that age;* **l'** stands for gai, content de tout.
Line 27. **je jouais à faire le loup** *I was playing wolf* (galloping around).

grand vent.* Toute la ligne des arbres se courbait sous les
rafales, gémissait, semblait pousser des cris, de ces cris sourds,
profonds, que les forêts jettent dans les tempêtes.

Les feuilles arrachées, jaunes déjà, s'envolaient comme des
5 oiseaux, tourbillonnaient, tombaient, puis couraient tout le
long de l'allée, ainsi que des bêtes rapides.

Le soir venait. Il faisait sombre dans les fourrés. Cette
agitation du vent et des branches m'excitait, me faisait [71]
galoper comme un fou, et hurler pour imiter les loups.

10 Dès que j'eus aperçu mes parents, j'allai vers eux à pas
furtifs, sous les branches, pour les surprendre, comme si
j'eusse [319] été un rôdeur véritable.

Mais je m'arrêtai, saisi de peur, à quelques pas d'eux. Mon
père, en proie à une terrible colère, criait:

15 —Ta mère est une sotte; et, d'ailleurs, ce n'est pas de
ta mère qu'il s'agit, mais de toi. Je te dis que j'ai besoin de
cet argent, et j'entends que tu signes.[293]

Maman répondit, d'une voix ferme:

—Je ne signerai pas. C'est la fortune de Jean, cela. Je
20 la garde pour lui et je ne veux pas que tu la manges [290] encore
comme tu as fait de ton héritage.*

Alors papa, tremblant de fureur, se retourna, et saisissant
sa femme par le cou, il se mit à la frapper avec l'autre main
de toute sa force, en pleine figure.

25 Le chapeau de maman tomba, ses cheveux dénoués se
répandirent; elle essayait de parer les coups, mais elle n'y [130]
pouvait parvenir. Et papa, comme fou, frappait, frappait.
Elle roula par terre, cachant sa face dans ses deux bras.
Alors il la renversa sur le dos pour la battre encore, écartant
30 les mains dont [25] elle se couvrait le [240] visage.

Quant à moi, mon cher, il me semblait que le monde allait
finir, que les lois éternelles étaient changées. J'éprouvais le

Line I. **par un jour de grand vent** *on a very windy day.*
Line 21. **de ton héritage** *with your inheritance.*

bouleversement qu'on a devant les choses surnaturelles, devant les catastrophes monstrueuses, devant les irréparables
désastres. Ma tête d'enfant s'égarait, s'affolait. Et je me mis
à crier de toute ma force, sans savoir pourquoi, en proie à
une épouvante, à une douleur, à un effarement épouvantables. 5
Mon père m'entendit, se retourna, m'aperçut, et, se relevant,
s'en vint vers moi. Je crus qu'il m'allait tuer* et je m'enfuis
comme un animal chassé, courant tout droit devant moi,
dans le bois.

J'allai peut-être une heure, peut-être deux, je ne sais pas. 10
La nuit étant [228] venue, je tombai sur l'herbe, épuisé, et je
restai là éperdu, dévoré par la peur, rongé par un chagrin capable de briser à jamais un pauvre cœur d'enfant. J'avais
froid, j'avais faim peut-être. Le jour vint. Je n'osais plus
me lever, ni marcher, ni revenir, ni me sauver encore, crai- 15
gnant de rencontrer mon père que je ne voulais plus revoir.

Je serais [223] peut-être mort de misère et de famine au pied
de mon arbre, si le garde ne m'avait découvert et ramené de
force.

Je trouvai mes parents avec leur visage ordinaire. Ma 20
mère me dit seulement: «Comme tu m'as [131] fait peur, vilain
garçon, j'ai passé la nuit sans dormir.» Je ne répondis point,
mais je me mis à pleurer. Mon père ne prononça pas une
parole.

Huit jours plus tard, je rentrais au collège.   25

Eh bien, mon cher, c'était fini pour moi. J'avais vu l'autre face des choses, la mauvaise;[344] je n'ai plus aperçu la
bonne [345] depuis ce jour-là. Que s'est-il [197] passé dans mon
esprit? Quel phénomène étrange m'a retourné les [241] idées?
Je l'ignore. Mais je n'ai plus eu de goût pour rien, envie de 30
rien, d'amour pour personne, de désir quelconque, d'ambition ou d'espérance. Et j'aperçois toujours ma pauvre mère,
par terre, dans l'allée, tandis que mon père l'assommait.

Line 7. qu'il m'allait tuer = qu'il allait me tuer.

—Maman est [198] morte après quelques années. Mon père vit encore. Je ne l'ai pas revu.—Garçon, un bock! . . .

On lui apporta son bock qu'il engloutit d'une gorgée. Mais, en reprenant sa pipe, comme il tremblait, il la cassa. Alors il eut un geste désespéré, et il dit: «Tiens! c'est un vrai chagrin, ça, par exemple.   J'en ai pour un mois* à en culotter une nouvelle.» [346]

Et il lança à travers la vaste salle, pleine maintenant de fumée et de buveurs, son éternel cri: «Garçon, un bock—et une pipe neuve!»

Line 6. **J'en ai pour un mois**   *I shall have to spend a month.*

LE PROTECTEUR

Il n'aurait jamais rêvé une fortune si haute! Fils d'un huissier de province, Jean Marin était [212] venu, comme tant d'autres, faire son droit au quartier latin. Dans les différentes brasseries qu'il avait successivement fréquentées, il était [212] devenu l'ami de plusieurs étudiants bavards qui crachaient de la politique en buvant des bocks. Il s'éprit d'admiration pour eux et les suivit avec obstination, de café en café, payant même leurs consommations quand il avait de l'argent.

Puis il se fit avocat et plaida des causes qu'il perdit. Or, voilà qu'un matin, il apprit dans les feuilles qu'un de ses anciens camarades du quartier venait d'être nommé député.

Il fut de nouveau son chien fidèle, l'ami qui fait les corvées, les démarches, qu'on envoie chercher quand on a besoin de lui et avec qui on ne se gêne point. Mais il arriva par aventure parlementaire que le député devint ministre; six mois après, Jean Marin était nommé conseiller d'État.

Il eut d'abord une crise d'orgueil à en perdre la tête.* Il allait dans les rues pour le plaisir de se montrer comme si on eût [320] pu deviner sa position rien qu'à le voir.* Il trouvait le moyen de dire aux marchands chez qui il entrait, aux vendeurs de journaux, même aux cochers de fiacre, à propos des choses les plus insignifiantes:

—Moi qui suis conseiller d'État. . . .

Puis il éprouva, naturellement, comme par suite de sa dignité, par nécessité professionnelle, par devoir d'homme puis-

Line 19. à en perdre la tête *enough to lose his head about it.*
Line 21. rien qu'à le voir *merely by seeing him.*

sant et généreux,* un impérieux besoin de protéger. Il
offrait son appui à tout le monde, en toute occasion, avec une
inépuisable générosité.

Quand il rencontrait sur les boulevards une figure de connaissance,* il s'avançait d'un air ravi, prenait les mains, s'in-
formait de la santé, puis, sans attendre les questions,
déclarait:

—Vous savez, moi, je suis conseiller d'État et tout à votre
service. Si je puis vous être utile à quelque chose, usez de
moi sans vous gêner. Dans ma position on a le bras long.

Et alors il entrait dans les cafés avec l'ami rencontré
pour demander une plume, de l'encre et une feuille de papier
à lettre—«une seule,³⁴⁷ garçon, c'est pour écrire une lettre
de recommandation.»

Et il en écrivait des lettres de recommandation,³³⁵ dix,
vingt, cinquante par jour. Il en écrivait au café Américain,
chez Bignon, chez Tortoni, à la Maison-Dorée, au café Riche,
au Helder, au café Anglais, au Napolitain,* partout, partout.
Il en écrivait à tous les fonctionnaires de la République, depuis les juges de paix jusqu'aux ministres. Et il était heureux,
tout à fait heureux.

Un matin comme il sortait de chez lui pour se rendre au
Conseil d'État, la pluie se mit à tomber. Il hésita à prendre un
fiacre, mais il n'en prit pas, et s'en fut ³⁴⁰ à pied, par les rues.
L'averse devenait terrible, noyait les trottoirs, inondait la
chaussée. M. Marin fut contraint de se réfugier sous une
porte. Un vieux prêtre était déjà là, un vieux prêtre à cheveux
blancs. Avant d'être conseiller d'État, M. Marin n'aimait

Line 1. **par devoir d'homme puissant et généreux** *out of* (*a sense of*)
duty as a generous and influential man.

Line 5. **une figure de connaissance** *a face* (*of a person*) *he was acquainted
with.*

Line 18. **au Napolitain,** i.e., **au café Napolitain.** All these cafés are on
or near the Grands Boulevards.

point le clergé. Maintenant il le* traitait avec considération depuis qu'un cardinal l'avait consulté poliment sur une affaire difficile. La pluie tombait en inondation, forçant les deux hommes à fuir jusqu'à la loge du concierge pour éviter les éclaboussures. M. Marin, qui éprouvait toujours la démangeaison de parler pour se faire valoir, déclara:

—Voici un bien vilain temps, monsieur l'abbé.

Le vieux prêtre s'inclina:

—Oh! oui, monsieur, c'est bien désagréable lorsqu'on ne vient à Paris que pour quelques jours.

—Ah! vous êtes de province?

—Oui, monsieur, je ne suis ici qu'en passant.*

—En effet, c'est très désagréable d'avoir de la pluie pour quelques jours passés dans la capitale. Nous autres, fonctionnaires, qui demeurons ici toute l'année, nous n'y [132] songeons guère.

L'abbé ne répondait pas. Il regardait la rue où l'averse tombait moins pressée. Et soudain, prenant une résolution, il releva sa soutane comme les femmes relèvent leurs robes pour passer les ruisseaux.

M. Marin le voyant partir,[99] s'écria:

—Vous allez vous faire [72] tremper, monsieur l'abbé. Atten-
dez encore quelques instants, ça va cesser.

Le bonhomme indécis s'arrêta, puis il reprit:

—C'est que* je suis très pressé. J'ai un rendez-vous urgent.

M. Marin semblait désolé.

—Mais vous allez être positivement traversé. Peut-on vous [133] demander dans quel quartier vous allez?

Le curé paraissait hésiter, puis il prononça:

—Je vais du côté du Palais-Royal.

Line 1. **Maintenant il le traitait** *Now he treated them;* **le** stands for **le clergé.**

Line 12. **je ne suis ici qu'en passant** *I am merely passing through the city.*

Line 25. **C'est que** *It is because;* see note to page 41, line 13.

—Dans ce cas, si vous le permettez, monsieur l'abbé, je vais vous offrir l'abri de mon parapluie. Moi, je vais au Conseil d'État. Je suis conseiller d'État.

Le vieux prêtre leva le nez et regarda son voisin, puis déclara:

—Je vous remercie beaucoup, monsieur, j'accepte avec plaisir.

Alors M. Marin prit son bras et l'entraîna. Il le dirigeait, le surveillait, le conseillait:

—Prenez garde à ce ruisseau, monsieur l'abbé. Surtout méfiez-vous des roues des voitures; elles vous éclaboussent quelquefois des pieds à la tête. Faites attention aux parapluies des gens qui passent. Il n'y a rien de plus dangereux pour les yeux que le bout des baleines. Les femmes surtout sont insupportables; elles ne font attention à rien et vous plantent toujours en pleine figure [242] les pointes de leurs ombrelles ou de leurs parapluies. Et jamais elles ne se dérangent pour personne. On dirait que la ville leur appartient. Elles règnent sur le trottoir et dans la rue. Je trouve, quant à moi, que leur éducation a été fort négligée.

Et M. Marin se mit à rire.

Le curé ne répondait pas. Il allait, un peu voûté, choisissant avec soin les places où il posait le pied pour ne crotter ni sa chaussure, ni sa soutane.

M. Marin reprit:

—C'est pour vous distraire un peu que vous venez à Paris, sans doute?

Le bonhomme répondit:

—Non, j'ai une affaire.

—Ah! Est-ce une affaire importante? Oserais-je vous [134] demander de quoi il s'agit? Si je puis vous être utile, je me mets à votre disposition.

Le curé paraissait embarrassé. Il murmura:

—Oh! c'est une petite affaire personnelle. Une petite

difficulté avec . . . avec mon évêque. Cela ne vous intéres-
serait pas. C'est une . . . une affaire d'ordre intérieur . . .
de . . . de . . . matière ecclésiastique.

M. Marin s'empressa.

—Mais c'est justement le Conseil d'État qui règle ces 5
choses-là. Dans ce cas, usez de moi.

—Oui, monsieur, c'est aussi au Conseil d'État que je vais.
Vous êtes mille fois trop bon. J'ai à voir M. Lerepère et
M. Savon, et aussi peut-être M. Petitpas.

M. Marin s'arrêta net. 10

—Mais ce sont mes amis, monsieur l'abbé, mes meilleurs
amis, d'excellents collègues, des gens charmants. Je vais
vous recommander à tous les trois, et chaudement. Comptez
sur moi.

Le curé remercia, se confondit en excuses, balbutia mille 15
actions de grâces.

M. Marin était ravi.

—Ah! vous pouvez vous vanter d'avoir une fière chance,
monsieur l'abbé. Vous allez voir, vous allez voir que, grâce
à moi, votre affaire ira comme sur des roulettes. 20

Ils arrivaient au Conseil d'État. M. Marin fit [73] monter le
prêtre dans son cabinet, lui offrit un siège, l'installa devant
le feu, puis prit place lui-même devant la table, et se mit à
écrire:

«Mon cher collègue, permettez-moi de vous recommander 25
de la façon la plus chaude un vénérable ecclésiastique des
plus dignes et des plus méritants,* M. l'abbé. . . .»

Il s'interrompit et demanda:

—Votre nom, s'il vous plaît?

—L'abbé Ceinture. 30

M. Marin se remit à écrire:

«M. l'abbé Ceinture, qui a besoin de vos bons offices pour
une petite affaire dont [26] il vous parlera.

Line 27. **des plus dignes et des plus méritants = très digne et très méritant.**

«Je suis heureux de cette circonstance, qui me permet, mon cher collègue. . . .»

Et il termina par les compliments d'usage.

Quand il eut écrit les trois lettres, il les remit à son protégé
5 qui s'en alla après un nombre infini de protestations.

M. Marin accomplit sa besogne, rentra chez lui, passa la journée tranquillement, dormit en paix, se réveilla enchanté et se fit[74] apporter les journaux.

Le premier qu'il ouvrit était une feuille radicale. Il lut:
10   «Notre clergé et nos fonctionnaires.

«Nous n'en finirons pas d'enregistrer les méfaits du clergé. Un certain prêtre, nommé Ceinture, convaincu d'avoir conspiré contre le gouvernement existant, accusé d'actes indignes que nous n'indiquerons même pas, soupçonné en outre d'être
15 un ancien jésuite métamorphosé en simple prêtre, cassé par un évêque pour des motifs qu'on affirme inavouables, et appelé à Paris pour fournir des explications sur sa conduite, a trouvé un ardent défenseur dans le nommé Marin, conseiller d'État, qui n'a pas craint de donner à ce malfaiteur en sou-
20 tane les lettres de recommandation les plus pressantes pour tous les fonctionnaires républicains ses collègues.

«Nous signalons l'attitude inqualifiable de ce conseiller d'État à l'attention du ministre. . . .»

M. Marin se dressa d'un bond, s'habilla, courut chez son
25 collègue Petitpas qui lui dit:

—Ah çà, vous êtes fou de me recommander ce vieux conspirateur.

Et M. Marin, éperdu, bégaya:

—Mais non . . . voyez-vous . . . j'ai été trompé. . . . Il
30 avait l'air si brave homme* . . . il m'a joué . . . il m'a indignement joué. Je vous en prie, faites-le[75] condamner sévèrement, très sévèrement. Je vais écrire. Dites-moi à

Line 30. **Il avait l'air si brave homme**   *He looked like such a decent fellow.*

qui il faut écrire pour le faire [76] condamner. Je vais trouver
le procureur général et l'archevêque de Paris, oui, l'archevêque. . . .

Et s'asseyant brusquement devant le bureau de M. Petitpas, il écrivit:

«Monseigneur, j'ai l'honneur de porter à la connaissance
de Votre Grandeur que je viens d'être victime des intrigues
et des mensonges d'un certain abbé Ceinture, qui a surpris ma
bonne foi.

«Trompé par les protestations de cet ecclésiastique, j'ai
pu. . . .»

Puis, quand il eut signé et cacheté sa lettre, il se tourna
vers son collègue et déclara:

—Voyez-vous, mon cher ami, que cela vous soit [328] un
enseignement, ne recommandez jamais personne.

DÉCOUVERTE

Le bateau était couvert de monde. La traversée s'annon-
çant fort belle, les Havraises allaient faire un tour à Trouville.

On détacha les amarres; un dernier coup de sifflet annonça
le départ, et, aussitôt, un frémissement secoua le corps entier
5 du navire, tandis qu'on entendait, le long de ses flancs, un
bruit d'eau remuée.

Les roues tournèrent quelques secondes, s'arrêtèrent, re-
partirent doucement; puis le capitaine, debout sur sa passerelle, ayant crié par le porte-voix qui descend dans les pro-
10 fondeurs de la machine: «En route!» elles se mirent à battre
la mer avec rapidité.

Nous filions le long de la jetée, couverte de monde. Des
gens sur le bateau agitaient leurs mouchoirs, comme s'ils
partaient pour l'Amérique, et les amis restés [159] à terre ré-
15 pondaient de la même façon.

Le grand soleil de juillet tombait sur les ombrelles rouges,
sur les toilettes claires, sur les visages joyeux, sur l'Océan
à peine remué par des ondulations. Quand on fut [218] sorti du
port, le petit bâtiment fit une courbe rapide, dirigeant son
20 nez pointu sur la côte lointaine entrevue à travers la brume
matinale.

A notre gauche s'ouvrait l'embouchure de la Seine, large
de vingt kilomètres. De place en place les grosses bouées indiquaient les bancs de sable, et on reconnaissait au loin les
25 eaux douces et bourbeuses du fleuve qui, ne se mêlant point
à l'eau salée, dessinaient de grands rubans jaunes à travers
l'immense nappe verte et pure de la pleine mer.

J'éprouve, aussitôt que je monte sur un bateau, le besoin
de marcher de long en large, comme un marin qui fait le

quart. Pourquoi? Je n'en sais rien.* Donc je me mis à circuler sur le pont à travers la foule des voyageurs.

Tout à coup, on m'appela. Je me retournai. C'était un de mes vieux amis, Henri Sidoine, que je n'avais point vu depuis dix ans.

Après nous [271] être [226] serré les [243] mains, nous recommençâmes ensemble, en parlant de choses et d'autres, la promenade d'ours en cage que j'accomplissais tout seul auparavant. Et nous regardions, tout en causant, les deux lignes de voyageurs assis sur les deux côtés du pont.

Tout à coup Sidoine prononça, avec une véritable expression de rage:

—C'est plein d'Anglais ici! Les sales gens!

C'était plein d'Anglais, en effet. Les hommes debout lorgnaient l'horizon d'un air important qui semblait dire: «C'est nous, les Anglais, qui sommes les maîtres de la mer! Boum, boum! nous voilà!»

Et tous les voiles blancs qui flottaient sur leurs chapeaux blancs avaient l'air des drapeaux de leur suffisance.

Les jeunes misses, dont[9] les chaussures rappelaient les constructions navales de leur patrie, serrant en des châles multicolores leur taille droite et leurs bras minces, souriaient vaguement au radieux paysage. Leurs petites têtes, poussées au bout de ces longs corps, portaient des chapeaux anglais d'une forme étrange, et, derrière leurs crânes, leurs maigres chevelures enroulées ressemblaient à des couleuvres lofées.*

Et les vieilles misses, encore plus grêles, ouvrant au vent leur mâchoire nationale, paraissaient menacer l'espace de leurs dents jaunes et démesurées.

Line 1. **Je n'en sais rien** *I have no idea.* See footnote to page 39, line 2.
Line 27. **lofées** This is probably a mistake for **lovées** *coiled*; **lofer** and **lover** are nautical terms, uncommon in ordinary language. Although Maupassant had considerable sailing experience, he (or perhaps the printer) must have confused the two words.

On sentait, en passant près d'elles, une odeur de
caoutchouc et d'eau dentifrice.

Sidoine répéta, avec une colère grandissante:

—Les sales gens! On ne pourra donc pas les empêcher de
venir en France?

Je demandai en souriant:

—Pourquoi leur [135] en veux-tu? Quant à moi, ils me sont
parfaitement indifférents.

Il prononça:

—Oui, toi, parbleu! Mais moi, j'ai épousé une Anglaise.
Voilà.

Je m'arrêtai pour lui rire au [244] nez.

—Ah! diable. Conte-moi ça. Et elle te rend donc très
malheureux?

Il haussa les épaules:

—Non, pas précisément.

—Alors, je ne comprends pas!

—Tu ne comprends pas? Ça ne m'étonne point. Eh bien,
elle a tout simplement appris le français, pas autre chose!
Écoute:

«Je n'avais pas le moindre désir de me marier, quand je
vins passer l'été à Étretat, voici deux ans. Rien de plus dangereux que les villes d'eaux. On ne se figure pas combien les
fillettes y sont à leur avantage.* Paris sied aux femmes et la
campagne aux jeunes filles.

Les promenades à ânes, les bains du matin, les déjeuners sur
l'herbe, autant de pièges à mariage. Et, vraiment, il n'y a rien
de plus gentil qu'une enfant de dix-huit ans qui court à travers un champ ou qui ramasse des fleurs le long d'un chemin.

Je fis la connaissance d'une famille anglaise descendue [160]
au même hôtel que moi. Le père ressemblait aux hommes que
tu vois là, et la mère à toutes les Anglaises.

Line 24. **combien les fillettes y sont à leur avantage** *how much young
girls are at an advantage there.*

Il y avait deux fils, de ces garçons tout en os, qui jouent
du matin au soir à des jeux violents, avec des balles, des mas-
sues ou des raquettes; puis deux filles, l'aînée, une sèche,
encore une Anglaise de boîte à conserves;* la cadette, une
merveille.   Une blonde, ou plutôt une blondine avec une [5]
tête venue [161] du ciel.   Quand elles se mettent à être jolies,
les gredines, elles sont divines.   Celle-là avait des yeux bleus,
de ces yeux bleus qui semblent contenir toute la poésie, tout
le rêve, toute l'espérance, tout le bonheur du monde!

Quel horizon ça vous ouvre dans les songes infinis, deux [10]
yeux de femme comme ceux-là!   Comme [280] ça répond bien
à l'attente éternelle et confuse de notre cœur!

Il faut dire aussi que, nous autres Français, nous adorons
les étrangères.   Aussitôt que nous rencontrons une Russe,
une Italienne, une Suédoise, une Espagnole ou une Anglaise [15]
un peu jolie, nous en [136] tombons amoureux instantanément.
Tout ce qui vient du dehors nous enthousiasme, drap pour
culotte, chapeaux, gants, fusils et . . . femmes.

Nous avons tort, cependant.

Mais je crois que ce qui nous séduit le plus dans les exo- [20]
tiques, c'est leur défaut de prononciation.   Aussitôt qu'une
femme parle mal notre langue, elle est charmante; si elle
fait une faute de français par mot, elle est exquise, et si elle
baragouine d'une façon tout à fait inintelligible, elle devient
irrésistible. [25]

Tu ne te figures pas comme [281] c'est gentil d'entendre [100] dire
à une mignonne bouche rose: «J'aimé bôcoup la gigotte.»*

Ma petite Anglaise Kate parlait une langue invraisemblable.   Je n'y comprenais rien* dans les premiers jours,*

Line 4. **de boîte à conserves** *flat as a can of sardines.* Maupassant
probably has a flat sardine can in mind.
Line 27. **J'aimé bôcoup la gigotte** = J'aime beaucoup le gigot.
Line 29. **Je n'y comprenais rien** *I did not understand anything in it* (i.e.,
in her language).
Line 29. **les premiers jours** *the first days* (*I knew her*).

tant [282] elle inventait de mots inattendus; puis, je devins absolument amoureux de cet argot comique et gai.

Tous les termes estropiés, bizarres, ridicules prenaient sur ses lèvres un charme délicieux; et nous avions, le soir, sur la terrasse du Casino, de longues conversations qui ressemblaient à des énigmes parlées.

Je l'épousai! Je l'aimais follement comme on peut aimer un rêve. Car les vrais amants n'adorent jamais qu'un rêve qui a pris une forme de femme.

Te rappelles-tu les admirables vers de Louis Bouilhet:

> Tu n'as jamais été, dans tes jours les plus rares,
> Qu'un banal instrument sous mon archet vainqueur,
> Et, comme un air qui sonne au bois creux* des guitares,
> J'ai fait [77] chanter mon rêve au vide* de ton cœur.

Eh bien, mon cher, le seul tort que j'ai eu, ç'a été de donner à ma femme un professeur de français.

Tant qu'elle a martyrisé le dictionnaire et supplicié la grammaire, je l'ai chérie.

Nos causeries étaient simples. Elles me révélaient la grâce surprenante de son être, l'élégance incomparable de son geste; elles me la montraient comme un merveilleux bijou parlant, une poupée de chair faite pour le baiser, sachant énumérer à peu près ce qu'elle aimait, pousser parfois des exclamations bizarres, et exprimer d'une façon coquette, à force d'être incompréhensible et imprévue, des émotions ou des sensations peu compliquées.

Elle ressemblait bien aux jolis jouets qui disent «papa» et «maman,» en prononçant—Baaba—et Baamban.

Aurais-je pu croire que. . . .

Elle parle, à présent. . . . Elle parle . . . mal . . . très mal. . . . Elle fait tout autant de fautes. . . . Mais on la

Line 13. **au bois creux** *on the hollow wood.*
Line 14. **au vide de ton cœur** *on the emptiness of your heart.*

comprend . . . oui, je la comprends . . . je sais . . . je
la connais. . . .

J'ai ouvert ma poupée pour regarder dedans . . . j'ai vu.
Et il faut causer, mon cher!

Ah! tu ne les connais pas, toi, les opinions, les idées, les 5
théories d'une jeune Anglaise bien élevée, à laquelle je ne peux
rien reprocher, et qui me répète, du matin au soir, toutes les
phrases d'un dictionnaire de la conversation à l'usage des
pensionnats de jeunes personnes.

Tu as vu ces surprises du cotillon, ces jolis papiers dorés 10
qui renferment d'exécrables bonbons. J'en avais une. Je
l'ai déchirée. J'ai voulu manger le dedans et suis [199] resté
tellement dégoûté que j'ai des haut-le-cœur, à présent, rien
qu'en apercevant une de ses compatriotes.

J'ai épousé un perroquet à qui une vieille institutrice an- 15
glaise aurait enseigné* le français: comprends-tu?»

              . . . .

Le port de Trouville montrait maintenant ses jetées de
bois couvertes de monde.

Je dis:

—Où est ta femme?   20

Il prononça:

—Je l'ai ramenée à Étretat.

—Et toi, où vas-tu?

—Moi? moi je vais me distraire à Trouville.

Puis, après un silence, il ajouta: 25

—Tu ne te figures pas comme [283] ça peut être bête quelquefois, une femme.[336]

Line 16. **aurait enseigné** *might have taught.*

CLOCHETTE 212

Sont-ils étranges,* ces anciens souvenirs qui vous hantent sans qu'on puisse [307] se défaire d'eux!

Celui-là est si vieux, si vieux que je ne saurais comprendre comment il est [200] resté si vif et si tenace dans mon esprit.
5 J'ai vu depuis, tant de choses sinistres, émouvantes ou terribles, que je m'étonne de ne pouvoir passer un jour, un seul jour, sans que la figure de la mère Clochette ne se retrace [308] devant mes yeux, telle que je la connus, autrefois, voilà si longtemps, quand j'avais dix ou douze ans.

10 C'était une vieille couturière qui venait une fois par semaine, tous les mardis, raccommoder le linge chez mes parents. Mes parents habitaient une de ces demeures de campagne appelées châteaux, et qui sont simplement d'antiques maisons à toit aigu, dont [27] dépendent [42] quatre ou 15 cinq fermes groupées autour.

Le village, un gros village, un bourg, apparaissait à quelques centaines de mètres, serré autour de l'église, une église de briques rouges devenues [162] noires avec le temps.

Donc, tous les mardis, la mère Clochette arrivait entre 20 six heures et demie et sept heures du matin et montait aussitôt dans la lingerie se mettre au travail.

C'était une haute femme maigre, barbue, ou plutôt poilue, car elle avait de la barbe sur toute la figure, une barbe surprenante, inattendue, poussée par bouquets invraisemblables, 25 par touffes frisées qui semblaient semées par un fou à travers ce grand visage de gendarme en jupes. Elle en avait sur le nez, sous le nez, autour du nez, sur le menton, sur les joues; et ses sourcils d'une épaisseur et d'une longueur extravagantes,

Line 1. **Sont-ils étranges** *Aren't they strange . . . ?*

60

tout gris, touffus, hérissés, avaient tout à fait l'air d'une paire de moustaches placées là par erreur.

Elle boitait, non pas comme [43] boitent les estropiés ordinaires, mais comme un navire à l'ancre. Quand elle posait sur sa bonne jambe son grand corps osseux et dévié, elle 5 semblait prendre son élan pour monter sur une vague monstrueuse, puis, tout à coup, elle plongeait comme pour disparaître dans un abîme, elle s'enfonçait dans le sol. Sa marche éveillait bien l'idée d'une tempête, tant elle se balançait en même temps;* et sa tête toujours coiffée d'un énorme bonnet 10 blanc, dont [10] les rubans lui flottaient dans le [245] dos, semblait traverser l'horizon, du nord au sud et du sud au nord, à chacun de ses mouvements.

J'adorais cette mère Clochette. Aussitôt levé [169] je montais dans la lingerie où je la trouvais installée à coudre, une chauf- 15 ferette sous les pieds. Dès que j'arrivais, elle me forçait à prendre cette chaufferette et à m'asseoir dessus pour ne pas m'enrhumer dans cette vaste pièce froide, placée sous le toit.

—Ça te tire le sang de la [246] gorge, disait-elle.

Elle me contait des histoires, tout en reprisant le linge 20 avec ses longs doigts crochus, qui étaient vifs; ses yeux derrière ses lunettes aux verres grossissants, car l'âge avait affaibli sa vue, me paraissaient énormes, étrangement profonds, doubles.

Elle avait, autant que je puis me rappeler les choses qu'elle 25 me disait et dont [28] mon cœur d'enfant était remué, une âme magnanime de pauvre femme. Elle voyait gros et simple.* Elle me contait les événements du bourg, l'histoire d'une vache qui s'était [212] sauvée de l'étable et qu'on avait retrouvée, un matin, devant le moulin de Prosper Malet, re- 30

Line 10. **tant elle se balançait en même temps** *she rocked so much at the same time (that she walked).*

Line 27. **Elle voyait gros et simple** *She saw everything enlarged and simplified.*

gardant [101] tourner les ailes de bois, ou l'histoire d'un œuf de
poule découvert dans le clocher de l'église sans qu'on eût [309]
jamais compris quelle bête était [212] venue le pondre là, ou
l'histoire du chien de Jean-Jean Pilas, qui avait été [341] re-
5 prendre à dix lieues du village la culotte de son maître
volée par un passant tandis qu'elle séchait devant la porte
après une course à la pluie. Elle me contait ces naïves aven-
tures de telle façon qu'elles prenaient en mon esprit des
proportions de drames inoubliables, de poèmes grandioses et
10 mystérieux; et les contes ingénieux inventés par des poètes et
que [44] me narrait ma mère, le soir, n'avaient point cette
saveur, cette ampleur, cette puissance des récits de la paysanne.

Or, un mardi, comme j'avais passé toute la matinée à écou-
15 ter* la mère Clochette, je voulus remonter près d'elle, dans
la journée, après avoir été [342] cueillir des noisettes avec le
domestique, au bois des Hallets, derrière la ferme de Noirpré.
Je me rappelle tout cela aussi nettement que les choses d'hier.
Or, en ouvrant la porte de la lingerie, j'aperçus la vieille
20 couturière étendue sur le sol, à côté de sa chaise, la face par
terre, les bras allongés, tenant encore son aiguille d'une
main,* et de l'autre, une de mes chemises. Une de ses jambes,
dans un bas bleu, la grande [348] sans doute, s'allongeait sous sa
chaise; et les lunettes brillaient au pied de la muraille, ayant
25 roulé loin d'elle.
Je me sauvai en poussant des cris aigus. On accourut; et
j'appris au bout de quelques minutes que la mère Clochette
était morte.
Je ne saurais dire l'émotion profonde, poignante, terrible,
30 qui crispa mon cœur d'enfant. Je descendis à petits pas dans

Line 15. à écouter *listening to.*
Line 22. d'une main . . . et de l'autre *in one hand . . . and in the
other.*

le salon et j'allai me cacher dans un coin sombre, au fond d'une immense et antique bergère où je me mis à genoux pour pleurer. Je restai là longtemps sans doute, car la nuit vint.

Tout à coup on entra avec une lampe, mais on ne me vit pas et j'entendis [102] mon père et ma mère causer avec le médecin, dont [18] je reconnus la voix.

On l'avait été [343] chercher bien vite et il expliquait les causes de l'accident. Je n'y compris rien* d'ailleurs. Puis il s'assit, et accepta un verre de liqueur avec un biscuit.

Il parlait toujours; et ce qu'il dit alors me reste et me restera gravé dans l'âme [247] jusqu'à ma mort! Je crois que je puis reproduire même presque absolument les termes dont [29] il se servit.

—Ah! disait-il, la pauvre femme! ce fut ici ma première cliente. Elle se cassa la [248] jambe le jour de mon arrivée et je n'avais pas eu le temps de me laver les [249] mains en descendant de la diligence quand on vint me quérir en toute hâte, car c'était grave, très grave.

Elle avait dix-sept ans, et c'était une très belle fille, très belle, très belle! L'aurait-on cru? Quant à son histoire, je ne l'ai jamais dite, et personne hors moi et un autre qui n'est plus dans le pays ne l'a jamais sue. Maintenant qu'elle est morte, je puis être moins discret.

A cette époque-là venait* de s'installer, dans le bourg, un jeune aide instituteur qui avait une jolie figure et une belle taille de sous-officier. Toutes les filles lui couraient après,* et il faisait le dédaigneux, ayant grand'peur d'ailleurs du maître d'école, son supérieur, le père Grabu, qui n'était pas bien levé* tous les jours.

Line 9. **Je n'y compris rien** *I did not understand anything about it.*
Line 25. **venait de s'installer** The subject is **un jeune aide instituteur.**
Line 27. **lui couraient après** *ran after him.*
Line 30. **qui n'était pas bien levé tous les jours** *who did not get up in a good humor every day.*

Le père Grabu employait déjà comme couturière la belle
Hortense, qui vient de mourir chez vous et qu'on baptisa
plus tard Clochette,* après son accident. L'aide instituteur
distingua cette belle fillette, qui fut sans doute flattée d'être
5 choisie par cet imprenable conquérant; toujours* est-il
qu'elle l'aima, et qu'il obtint un premier rendez-vous, dans
le grenier de l'école, à la fin d'un jour de couture, la nuit
venue.[165]

Elle fit donc semblant de rentrer chez elle, mais au lieu
10 de descendre l'escalier en sortant de chez les Grabu, elle le
monta, et alla se cacher dans le foin, pour attendre son amoureux. Il l'y rejoignit bientôt, et il commençait à lui conter
fleurette, quand la porte de ce grenier s'ouvrit de nouveau
et le maître d'école parut et demanda:

15 —Qu'est-ce que vous faites là-haut, Sigisbert?

Sentant qu'il serait pris, le jeune instituteur, affolé, répondit stupidement:

—J'étais [215] monté me reposer un peu sur les bottes, monsieur Grabu.

20 Ce grenier était très grand, très vaste, absolument noir;
et Sigisbert poussait vers le fond la jeune fille effarée, en
répétant: «Allez là-bas, cachez-vous. Je vais perdre ma
place, sauvez-vous, cachez-vous.»

Le maître d'école entendant [103] murmurer, reprit: «Vous
25 n'êtes donc pas seul ici?»

—Mais oui, monsieur Grabu!

—Mais non, puisque vous parlez.

—Je vous jure que oui,* monsieur Grabu.

—C'est ce que je vais savoir, reprit le vieux; et fermant la
30 porte à double tour, il descendit chercher une chandelle.

Alors le jeune homme, un lâche comme on en trouve sou-

Line 3. **Clochette** From the verb **clocher** *to limp, to hobble.*
Line 5. **toujours est-il que** *at any rate the fact is that. . . .*
Line 28. **Je vous jure que oui** *I swear to you that I am.*

vent, perdit la tête et il répétait, paraît-il, devenu [166] furieux
tout à coup: «Mais cachez-vous, qu'il ne vous trouve [329] pas.
Vous allez me mettre sans pain pour toute ma vie.   Vous
allez briser ma carrière. . . . Cachez-vous donc!»

On entendait la clef qui tournait de nouveau dans la ser-   5
rure.

Hortense courut à la lucarne qui donnait sur la rue, l'ouvrit brusquement, puis d'une voix basse et résolue:

—Vous viendrez me ramasser quand il sera [219] parti, dit-
elle.   10

Et elle sauta.

Le père Grabu ne trouva personne et redescendit, fort surpris.

Un quart d'heure plus tard, M. Sigisbert entrait chez moi
et me contait son aventure.   La jeune fille était [212] restée au 15
pied du mur incapable de se lever, étant [229] tombée de deux
étages.   J'allai la chercher avec lui.   Il pleuvait à verse, et
j'apportai chez moi cette malheureuse dont [11] la jambe droite
était brisée à trois places, et dont [12] les os avaient crevé les
chairs.   Elle ne se plaignait pas et disait seulement avec une 20
admirable résignation: «Je suis punie, bien punie!»

Je fis [78] venir du secours et les parents de l'ouvrière, à
qui je contai la fable d'une voiture emportée qui l'avait ren-
versée et estropiée devant ma porte.

On me crut, et la gendarmerie chercha en vain, pendant un 25
mois, l'auteur de cet accident.

Voilà!   Et je dis que cette femme fut une héroïne, de la
race de celles qui accomplissent les plus belles actions his-
toriques.

Ce fut là son seul amour.   C'est une martyre, une grande 30
âme, une dévouée sublime!   Et si je ne l'admirais pas absolument je ne vous aurais pas conté cette histoire, que je n'ai
jamais voulu dire à personne pendant sa vie, vous comprenez
pourquoi.

Le médecin s'était [212] tu. Maman pleurait. Papa prononça quelques mots que je ne saisis pas bien; puis ils s'en allèrent.

Et je restai à genoux sur ma bergère, sanglotant, pendant que j'entendais un bruit étrange de pas lourds et de heurts dans l'escalier.

On emportait le corps de Clochette.

LA QUESTION DU LATIN

Cette question* du latin, dont [30] on nous abrutit [172] depuis quelque temps, me rappelle une histoire, une histoire de ma jeunesse.

Je finissais mes études chez un marchand de soupe* d'une grande ville du centre,* à l'institution Robineau, célèbre dans toute la province par la force des études latines qu'on y faisait.

Depuis dix ans, l'institution Robineau battait,[178] à tous les concours, le lycée impérial de la ville et tous les collèges des sous-préfectures, et ses succès constants étaient dus, di- sait-on, à un pion, un simple pion, M. Piquedent, ou plutôt le père Piquedent.

C'était un de ces demi-vieux tout gris, dont [19] il est impos- sible de connaître l'âge et dont [20] on devine l'histoire à première vue. Entré [167] comme pion à vingt ans dans une institution quelconque, afin de pouvoir pousser ses études jusqu'à la licence ès lettres d'abord, et jusqu'au doctorat ensuite, il s'était [212] trouvé engrené de telle sorte dans cette vie sinistre qu'il était [212] resté pion toute sa vie. Mais son amour pour le latin ne l'avait pas quitté et le harcelait à la façon d'une passion malsaine. Il continuait à lire les poètes, les prosateurs, les historiens, à les interpréter, à les pénétrer, à les commenter, avec une persévérance qui touchait à la manie.

Un jour, l'idée lui vint de forcer tous les élèves de son étude à ne lui [137] répondre qu'en latin; et il persista dans cette

Line 1. **Cette question du latin** The question as to whether Latin was to be dropped in certain curricula leading to the bachelor's degree.

Line 4. **marchand de soupe** One who runs a boarding house or boarding school and serves cheap food.

Line 5. **du centre,** i.e., **du centre de la France.**

67

résolution, jusqu'au moment où ils furent capables de soutenir avec lui une conversation entière, comme ils l'eussent [328] fait dans leur langue maternelle.

Il les écoutait ainsi qu'un chef d'orchestre écoute [104] répéter
5 ses musiciens, et à tout moment frappant son pupitre de sa règle:

—Monsieur Lefrère, monsieur Lefrère, vous faites un solécisme! Vous ne vous rappelez donc pas la règle? . . .

—Monsieur Plantel, votre tournure de phrase est toute
10 française et nullement latine. Il faut comprendre le génie d'une langue. Tenez, écoutez-moi. . . .

Or, il arriva que les élèves de l'institution Robineau emportèrent, en fin d'année, tous les prix de thème, version et discours latins.*

15 L'an suivant, le patron, un petit homme rusé comme un singe, dont [21] il avait d'ailleurs le physique grimaçant et grotesque, fit [79] imprimer sur ses programmes, sur ses réclames et peindre sur la porte de son institution:

«Spécialité d'études latines.—Cinq premiers prix rem-
20 portés dans les cinq classes du Lycée.

«Deux prix d'honneur au Concours général avec tous les lycées et collèges de France.»

Pendant dix ans l'institution Robineau triompha de la même façon. Or, mon père, alléché par ces succès, me mit
25 comme externe chez ce Robineau que nous appelions Robinetto ou Robinettino, et me fit [80] prendre des répétitions spéciales avec le père Piquedent, moyennant cinq francs l'heure, sur lesquels le pion touchait deux francs et le patron trois francs. J'avais alors dix-huit ans, et j'étais en philosophie.

Line 14. **prix de thème, version et discours latins** *prizes for composition, translation and free composition in Latin;* see **thème, version** and **discours** in Vocabulary.

Ces répétitions avaient lieu dans une petite chambre qui
donnait sur la rue. Il advint que le père Piquedent, au lieu
de me parler latin, comme il faisait à l'étude, me raconta ses
chagrins en français. Sans parents, sans amis, le pauvre bonhomme me prit en affection et versa dans mon cœur sa misère. 5

Jamais, depuis dix ou quinze ans, il n'avait causé seul à
seul avec quelqu'un.

—Je suis comme un chêne dans un désert, disait-il. *Sicut
quercus in solitudine.**

Les autres pions le dégoûtaient; il ne connaissait personne 10
en ville, puisqu'il n'avait aucune liberté pour se faire des
relations.

—Pas même les nuits, mon ami, et c'est le plus dur pour
moi. Tout mon rêve serait d'avoir une chambre avec meubles, mes livres, de petites choses qui m'appartiendraient 15
et auxquelles les autres ne pourraient pas toucher. Et je
n'ai rien à moi,* rien que ma culotte et ma redingote, rien,
pas même mon matelas et mon oreiller! Je n'ai pas quatre
murs où m'enfermer, excepté quand je viens pour donner
une leçon dans cette chambre. Comprenez-vous ça, vous? 20
un homme qui passe toute sa vie sans avoir jamais le droit,
sans trouver jamais le temps de s'enfermer seul, n'importe
où, pour penser, pour réfléchir, pour travailler, pour rêver!
Ah! mon cher, une clef, la clef d'une porte qu'on peut fermer,
voilà le bonheur, le voilà, le seul bonheur? 25

Ici, pendant le jour, l'étude avec tous ces galopins qui
remuent, et pendant la nuit le dortoir avec ces mêmes galopins, qui ronflent. Et je dors dans un lit public au bout des
deux files de ces lits de polissons que je dois [255] surveiller.
Je ne peux jamais être seul, jamais! Si je sors, je trouve la 30
rue pleine de monde, et quand je suis fatigué de marcher,

Line 9. **Sicut quercus in solitudine** This is the Latin translation of
comme un chêne dans le désert.
Line 17. **Et je n'ai rien à moi** *And I have nothing belonging to myself.*

j'entre dans un café plein de fumeurs et de joueurs de billard.
Je vous dis que c'est un bagne.*

Je lui [138] demandais:

—Pourquoi n'avez-vous pas fait autre chose, monsieur
5 Piquedent?

Il s'écriait:

—Et quoi, mon petit ami, quoi? Je ne suis ni bottier, ni
menuisier, ni chapelier, ni boulanger, ni coiffeur. Je ne sais
que le latin, moi, et je n'ai pas de diplôme qui me permette [313]
10 de le vendre cher. Si j'étais docteur, je vendrais cent francs*
ce que je vends cent sous;* et je le fournirais sans doute de
moins bonne qualité, car mon titre suffirait à soutenir ma
réputation.

Parfois il me disait:

15 —Je n'ai de repos dans la vie que les heures passées avec
vous. Ne craignez rien, vous n'y perdrez pas.* A l'étude,
je me rattraperai en vous faisant [81] parler deux fois plus que
les autres.

Un jour je m'enhardis, et je lui offris une cigarette. Il me
20 contempla d'abord avec stupeur, puis il regarda la porte:

—Si on entrait,* mon cher!

—Eh bien, fumons à la fenêtre, lui dis-je.

Et nous allâmes nous accouder à la fenêtre sur la rue, en
cachant au fond de nos mains arrondies en coquilles les
25 minces rouleaux de tabac.

En face de nous était une boutique de repasseuses: quatre
femmes en caraco blanc promenaient sur le linge, étalé devant
elles, le fer lourd et chaud qui dégageait une buée.

Tout à coup une autre, une cinquième portant au bras un
30 large panier qui lui faisait [82] plier la taille, sortit pour aller

Line 2. **c'est un bagne**   Referring to the life he leads.
Line 10. **cent francs**   *for a hundred francs.*
Line 11. **cent sous**   *for a hundred sous.*
Line 16. **vous n'y perdrez pas**   *you won't lose by it.*
Line 21. **Si on entrait**   *What if someone should come in?*

rendre aux clients leurs chemises, leurs mouchoirs et leurs
draps. Elle s'arrêta sur la porte comme si elle eût [321] été
fatiguée déjà; puis elle leva les yeux, sourit en nous voyant [105]
fumer, nous jeta, de sa main restée [163] libre, un baiser narquois d'ouvrière insouciante; et elle s'en alla d'un pas lent,   5
en traînant ses chaussures.

C'était une fille de vingt ans, petite, un peu maigre, pâle,
assez jolie, l'air gamin, les yeux rieurs sous des cheveux blonds
mal peignés.

Le père Piquedent, ému, murmura: 10
—Quel métier, pour une femme! Un vrai métier de cheval.

Et il s'attendrit sur la misère du peuple. Il avait un cœur
exalté de démocrate sentimental et il parlait des fatigues
ouvrières avec des phrases de Jean-Jacques Rousseau et des
larmoiements dans la gorge.   15

Le lendemain, comme nous étions accoudés à la même
fenêtre, la même ouvrière nous aperçut et nous cria: «Bonjour les écoliers!»* d'une petite voix drôle, en nous faisant
la nique avec ses mains.

Je lui jetai une cigarette, qu'elle se mit aussitôt à fumer.   20
Et les quatre autres repasseuses se précipitèrent sur la porte,
les mains tendues, afin d'en avoir aussi.

Et, chaque jour, un commerce d'amitié s'établit entre les
travailleuses du trottoir et les fainéants de la pension.

Le père Piquedent était vraiment comique à voir. Il   25
tremblait d'être aperçu, car il aurait pu* perdre sa place, et il
faisait des gestes timides et farces, toute une mimique d'amoureux sur la scène, à laquelle les femmes répondaient par une
mitraille de baisers.

Une idée perfide me germait dans la [250] tête. Un jour, en   30
entrant dans notre chambre, je dis, tout bas, au vieux pion:
—Vous ne croiriez pas, monsieur Piquedent, j'ai rencontré

Line 18. **Bonjour les écoliers** *Good morning, school-boys!*
Line 26. **il aurait pu** *he might have.*

la petite blanchisseuse! Vous savez bien, celle au panier, et
je lui ai parlé!

Il demanda un peu troublé par le ton que j'avais pris:

—Que vous a-t-elle dit?

5 —Elle m'a dit . . . mon Dieu . . . elle m'a dit . . .
qu'elle vous trouvait très bien. . . . Au fond, je crois . . . je
crois . . . qu'elle est un peu amoureuse de vous. . . .

Je le vis [106] pâlir; il reprit:

—Elle se moque de moi, sans doute. Ces choses-là n'ar-
10 rivent pas à mon âge.

Je dis gravement:

—Pourquoi donc? Vous êtes très bien!

Comme je le sentais touché par ma ruse, je n'insistai pas.
Mais chaque jour, je prétendis* avoir rencontré la petite
15 et lui avoir parlé de lui; si bien qu'il finit par me croire et
par envoyer à l'ouvrière des baisers ardents et convaincus.

Or, il arriva qu'un matin, en me rendant à la pension, je
la rencontrai vraiment. Je l'abordai sans hésiter comme si je
la connaissais [179] depuis dix ans.

20 —Bonjour, mademoiselle. Vous allez bien?

—Fort bien, monsieur, je vous remercie!

—Voulez-vous une cigarette?

—Oh! pas dans la rue.

—Vous la fumerez chez vous.

25 —Alors, je veux bien.

—Dites donc, mademoiselle, vous ne savez pas?

—Quoi donc, monsieur?

—Le vieux, mon vieux professeur. . . .

—Le père Piquedent?

30 —Oui, le père Piquedent. Vous savez donc son nom?

—Parbleu! Eh bien?

—Eh bien, il est amoureux de vous!

Line 14. **je prétendis avoir rencontré . . . et lui avoir parlé de lui**
I claimed that I had met . . . and that I had spoken to her about him.

Elle se mit à rire comme une folle et s'écria:

—C'te blague!*

—Mais non, ce n'est pas une blague. Il me parle de vous tout le temps des leçons.* Je parie qu'il vous épousera, moi!

Elle cessa de rire. L'idée du mariage rend graves toutes les filles. Puis elle répéta incrédule:

—C'te blague!*

—Je vous jure que c'est vrai.

Elle ramassa son panier posé devant ses pieds.

—Eh bien! nous verrons, dit-elle.

Et elle s'en alla.

Aussitôt entré [170] à la pension, je pris à part le père Piquedent:

—Il faut lui écrire; elle est folle de vous.

Et il écrivit une longue lettre, doucement tendre, pleine de phrases et de périphrases, de métaphores et de comparaisons, de philosophie et de galanterie universitaires, un vrai chef d'œuvre de grâce burlesque, que je me chargeai de remettre à la jeune personne.

Elle la lut avec gravité, avec émotion, puis elle murmura:

—Comme [284] il écrit bien! On voit qu'il a reçu de l'éducation! C'est-il vrai * qu'il m'épouserait?

Je répondis intrépidement:

—Parbleu! Il en perd la tête.*

—Alors il faut qu'il m'invite [296] à diner dimanche à l'île des Fleurs.

Je promis qu'elle serait invitée.

Le père Piquedent fut très touché de tout ce que je lui racontai d'elle.

J'ajoutai:

Lines 2 and 7. **C'te blague!** *You're " kidding "!*
Line 4. **tout le temps des leçons** *all the time during my lessons.*
Line 22. **C'est-il vrai** = Est-ce vrai?
Line 24. **Il en perd la tête** *He is losing his head because of it* or *about it.*

—Elle vous aime, monsieur Piquedent; et je la crois une honnête fille.

Il répondit avec fermeté:

—Moi aussi je suis un honnête homme, mon ami.

5   Je n'avais, je l'avoue, aucun projet. Je faisais une farce, une farce d'écolier, rien de plus. J'avais deviné la naïveté du vieux pion, son innocence et sa faiblesse. Je m'amusais sans me demander comment cela tournerait. J'avais dix-huit ans, et je passais [180] pour un madré farceur, au lycée, depuis
10 longtemps déjà.

Donc il fut convenu que le père Piquedent et moi partirions en fiacre jusqu'au bac de la Queue-de-Vache, nous y trou- verions Angèle, et je les ferais [83] monter dans mon bateau, car je canotais en ce temps-là. Je les conduirais ensuite à
15 l'île des Fleurs, où nous dînerions tous les trois. J'avais imposé ma présence, pour bien jouir de mon triomphe, et le vieux, acceptant ma combinaison, prouvait bien qu'il perdait la tête en effet en exposant ainsi sa place.

Quand nous arrivâmes au bac, où mon canot était [181]
20 amarré depuis le matin, j'aperçus dans l'herbe, ou plutôt au- dessus des hautes herbes de la berge, une ombrelle rouge énorme, pareille à un coquelicot monstrueux. Sous l'ombrelle nous attendait* la petite blanchisseuse endimanchée. Je fus surpris; elle était vraiment gentille, bien que pâlotte, et
25 gracieuse, bien que d'allure un peu faubourienne.

Le père Piquedent lui tira son chapeau en s'inclinant. Elle lui tendit la main, et ils se [272] regardèrent sans dire un mot. Puis ils montèrent dans mon bateau et je pris les rames.

Ils étaient assis côte à côte, sur le banc d'arrière.

30 Le vieux parla le premier:*

Line 23. **Sous l'ombrelle nous attendait la petite blanchisseuse endi-manchée** *Under the parasol the little laundress, all dressed up, awaited us.*
Line 30. **parla le premier** *was the first to speak;* see note to page 13, line 17.

—Voilà un joli temps pour une promenade en barque.

Elle murmura:

—Oh! oui.

Elle laissait [107] traîner sa main dans le courant, effleurant l'eau de ses doigts, qui soulevaient un mince filet trans- 5 parent, pareil à une lame de verre. Cela faisait un bruit léger, un gentil clapot, le long du canot.

Quand on fut dans le restaurant, elle retrouva la parole, commanda le dîner: une friture, un poulet et de la salade; puis elle nous entraîna dans l'île, qu'elle connaissait parfaite- 10 ment.

Alors elle fut gaie, gamine et même assez moqueuse.

Jusqu'au dessert, il ne fut pas question d'amour. J'avais offert du champagne, et le père Piquedent était gris. Un peu partie elle-même, elle l'appelait: 15

—Monsieur Piquenez.*

Il dit tout à coup:

—Mademoiselle, monsieur Raoul vous a communiqué mes sentiments.

Elle devint sérieuse comme un juge: 20

—Oui, monsieur!

—Y [139] répondez-vous?

—On ne répond jamais à ces questions-là!*

Il soufflait d'émotion et reprit:

—Enfin, un jour viendra-t-il où je pourrai vous [140] plaire? 25

Elle sourit:

—Gros bête!* Vous êtes très gentil.

—Enfin, mademoiselle, pensez-vous que plus tard nous pourrions. . . .

Line 16. **Piquenez** We might translate **Monsieur Piquedent** by *Mr. Toothy* and **Monsieur Piquenez** by *Mr. Nosey.*

Line 23. **On ne répond jamais à ces questions-là!** *One never answers such questions!* Angèle takes advantage of the two meanings of **répondre** to avoid a direct answer to Piquedent's question.

Line 27. **Gros bête!** *You big simpleton!*

Elle hésita, une seconde; puis d'une voix tremblante:

—C'est pour m'épouser que vous dites ça?

—Oui, mademoiselle!

—Eh bien! ça va, monsieur Piquenez!

5   C'est ainsi que ces deux étourneaux se [273] promirent le mariage, par la faute d'un galopin. Mais je ne croyais pas cela sérieux; ni eux non plus peut-être. Une hésitation lui vint à elle: [337]

—Vous savez, je n'ai rien, pas quatre sous.*

10   Il balbutia, car il était ivre comme Silène:

—Moi, j'ai cinq mille francs d'économies.

Elle s'écria triomphante:

—Alors nous pourrions nous établir?

Il devint inquiet:

15   —Nous établir quoi?*

—Est-ce que je sais, moi? Nous verrons. Avec cinq mille francs, on fait bien des choses. Vous ne voulez pas que j'aille [291] habiter dans votre pension, n'est-ce pas?

Il n'avait point prévu jusque-là, et il bégayait fort per-
20 plexe:

—Nous établir quoi?* Ça n'est pas commode! Moi je ne sais que le latin!

Elle réfléchissait à son tour, passant en revue toutes les professions qu'elle avait ambitionnées.

25   —Vous ne pourriez pas être médecin?

—Non, je n'ai pas de diplôme!

—Ni pharmacien?

—Pas davantage.

Elle poussa un cri de joie. Elle avait trouvé.

30   —Alors nous achèterons une épicerie! Oh! quelle chance! nous achèterons une épicerie! Pas grosse par exemple; avec cinq mille francs on ne va pas loin.

Line 9. **pas quatre sous** *not a dime.*
Lines 15 and 21. **Nous établir quoi?** *Set up in what business?*

Il eut une révolte:

—Non, je ne peux pas être épicier. . . . Je suis . . . je suis . . . je suis trop connu. . . . Je ne sais que . . . que . . . que le latin . . . moi. . . .

Mais elle lui enfonçait dans la [251] bouche un verre plein de champagne. Il but et se tut.

Nous remontâmes dans le bateau. La nuit était noire, très noire. Je vis bien, cependant, qu'ils se [274] tenaient par la taille, qu'ils s'embrassèrent [275] plusieurs fois.

Ce fut une catastrophe épouvantable. Notre escapade, découverte, fit [84] chasser le père Piquedent. Et mon père, indigné, m'envoya finir ma philosophie dans la pension Ribaudet.

Je passai mon bachot six semaines plus tard. Puis j'allai à Paris faire mon droit; et je ne revins dans ma ville natale qu'après deux ans.

Au détour de la rue du Serpent une boutique m'accrocha l'œil.[252] On lisait: *Produits coloniaux Piquedent.** Puis dessous, afin de renseigner les plus ignorants: Épicerie.

Je m'écriai:

—*Quantum mutatus ab illo!**

Il leva la tête, lâcha sa cliente et se précipita sur moi les mains tendues.

—Ah! mon jeune ami, mon jeune ami, vous voici! Quelle chance! Quelle chance!

Une belle femme, très ronde, quitta brusquement le comptoir et se jeta sur mon cœur. J'eus de la peine à la reconnaître tant [285] elle avait engraissé.

Je demandai:

—Alors ça va?

Piquedent s'était [212] remis à peser:

Line 18. **Produits coloniaux Piquedent** *Piquedent Imported Foods.* A high sounding name as compared with **épicerie** *grocery store.*

Line 21. **Quantum mutatus ab illo!** *How changed!* Æneid, II, 274.

—Oh! très bien, très bien, très bien. J'ai gagné trois mille francs nets, cette année!

—Et le latin, monsieur Piquedent?

—Oh! mon Dieu, le latin, le latin, le latin, voyez-vous,* il ne nourrit pas son homme!*

Line 4. **voyez-vous** *don't you see?*
Line 5. **il ne nourrit pas son homme!** *it does not feed a fellow!*

QUI SAIT?

I

Mon Dieu! Mon Dieu! Je vais donc écrire enfin ce qui m'est [201] arrivé! Mais le pourrai-je?* l'oserai-je?* cela est si bizarre, si inexplicable, si incompréhensible, si fou!

Si je n'étais sûr de ce que j'ai vu, sûr qu'il n'y a eu,* dans mes raisonnements, aucune défaillance, aucune erreur dans mes constatations, pas de lacune dans la suite inflexible de mes observations, je me croirais un simple halluciné, le jouet d'une étrange vision. Après tout, qui sait?

Je suis aujourd'hui dans une maison de santé; mais j'y suis [202] entré volontairement, par prudence, par peur! Un seul être connaît mon histoire. Le médecin d'ici. Je vais l'écrire. Je ne sais trop pourquoi? Pour m'en [141] débarrasser car je la sens en moi comme un intolérable cauchemar.

La voici:

J'ai toujours été un solitaire, un rêveur, une sorte de philosophe isolé, bienveillant, content de peu, sans aigreur contre les hommes et sans rancune contre le ciel. J'ai vécu seul, sans cesse, par suite d'une sorte de gêne qu'insinue [45] en moi la présence des autres. Comment expliquer cela? Je ne le pourrais.* Je ne refuse pas de voir le monde,* de causer, de dîner avec des amis, mais lorsque je les sens [173] depuis longtemps près de moi, même les plus familiers, ils me lassent, me fatiguent, m'énervent, et j'éprouve une envie grandissante,

Line 2. le pourrai-je? *shall I be able to do it?*
Line 2. l'oserai-je? *shall I dare do it?*
Line 4. qu'il n'y a eu . . . aucune *that there was . . . no.*
Line 20. Je ne le pourrais *I could not do it.*
Line 20. de voir le monde *to see people.*

79

harcelante, de les voir [108] partir ou de m'en aller, d'être
seul.

Cette envie est plus qu'un besoin, c'est une nécessité
irrésistible. Et si la présence des gens avec qui je me trouve
5 continuait, si je devais,[256] non pas écouter, mais entendre
longtemps encore leurs conversations, il m'arriverait,[266] sans
aucun doute, un accident. Lequel? Ah! qui sait? Peut-être
une simple syncope? oui! probablement!

J'aime tant être seul que je ne puis même supporter le
10 voisinage d'autres êtres dormant sous mon toit; je ne puis
habiter Paris parce que j'y agonise indéfiniment. Je meurs
moralement, et suis aussi supplicié dans mon corps et dans
mes nerfs par cette immense foule qui grouille, qui vit autour
de moi, même quand elle* dort. Ah! le sommeil des autres
15 m'est plus pénible encore que leur parole. Et je ne peux
jamais me reposer, quand je sais, quand je sens, derrière un
mur, des existences interrompues par ces régulières éclipses
de la raison.*

Pourquoi suis-je ainsi! Qui sait? La cause en est peut-
20 être fort simple: je me fatigue très vite de tout ce qui ne se
passe pas en moi. Et il y a beaucoup de gens dans mon cas.

Nous sommes deux races sur la terre.* Ceux qui ont besoin
des autres, que les autres distraient, occupent, reposent, et
que la solitude harasse, épuise, anéantit, comme l'ascension
25 d'un terrible glacier ou la traversée du désert, et ceux que
les autres, au contraire, lassent, ennuient, gênent, courbatu-
rent, tandis que l'isolement les calme, les baigne de repos
dans l'indépendance et la fantaisie de leur pensée.

En somme, il y a là un normal phénomène psychique. Les
30 uns sont doués pour vivre en dehors, les autres pour vivre en

Line 14. **elle dort** *they sleep*; **elle** stands for **la foule**; see footnote to
page 49, line 1.
Line 18. **ces régulières éclipses de la raison**, i.e., sleep.
Line 22. **Nous sommes deux races sur la terre** *We humans are divided
into two families.*

dedans. Moi, j'ai l'attention extérieure courte* et vite épui-
sée, et, dès qu'elle arrive à ses limites, j'en éprouve dans tout
mon corps et dans toute mon intelligence, un intolérable
malaise.

Il en est résulté que je m'attache, que je m'étais [216] attaché
beaucoup aux objets inanimés qui prennent, pour moi, une
importance d'êtres, et que ma maison est devenue,[203] était [212]
devenue, un monde où je vivais d'une vie solitaire et active,
au milieu de choses, de meubles, de bibelots familiers, sym-
pathiques à mes yeux comme des visages. Je l'en [142] avais
emplie peu à peu, je l'en [143] avais parée, et je me sentais
dedans, content, satisfait, bien heureux comme entre les
bras d'une femme aimable dont [13] la caresse accoutumée est
devenue [204] un calme et doux besoin.

J'avais fait [85] construire cette maison dans un beau jardin
qui l'isolait des routes, et à la porte d'une ville où je pouvais
trouver, à l'occasion, les ressources de société dont [22] je sentais, par moments, le désir. Tous mes domestiques couchaient
dans un bâtiment éloigné, au fond du potager, qu'entourait [46]
un grand mur. L'enveloppement obscur des nuits, dans le
silence de ma demeure perdue, cachée, noyée sous les feuilles
des grands arbres, m'était si reposant et si bon, que j'hésitais
chaque soir, pendant plusieurs heures, à me mettre au lit
pour le savourer plus longtemps.

Ce jour-là, on avait joué *Sigurd* au théâtre de la ville.
C'était la première fois que j'entendais ce beau drame musical et féerique, et j'y [144] avais pris un vif plaisir.

Je revenais à pied, d'un pas allègre, la tête pleine de phrases
sonores, et le regard* hanté par de jolies visions. Il faisait
noir, noir, mais noir* au point que je distinguais à peine la

Line 1. **j'ai l'attention extérieure courte** *my attention to things outside of
me is short-lived.*
Line 29. **le regard hanté par** *my eyes haunted by.*
Line 30. **noir, noir, mais noir** *very, very black, really black.*

grande route, et que je faillis, plusieurs fois, culbuter dans le
fossé.   De l'octroi chez moi, il y a un kilomètre environ,
peut-être un peu plus, soit* vingt minutes de marche lente.
Il était une heure du matin, une heure ou une heure et demie;
5 le ciel s'éclaircit un peu devant moi et le croissant parut, le
triste croissant du dernier quartier de la lune.   Le croissant
du premier quartier, celui qui se lève à quatre ou cinq heures
du soir, est clair, gai, frotté d'argent, mais celui qui se lève
après minuit est rougeâtre, morne, inquiétant; c'est le vrai
10 croissant du sabbat.   Tous les noctambules ont dû [259] faire
cette remarque.   Le premier, fût-il [314] mince comme un fil,
jette une petite lumière joyeuse qui réjouit le cœur, et dessine
sur la terre des ombres nettes; le dernier répand à peine une
lueur mourante, si terne qu'elle ne fait presque pas d'ombres.
15 J'aperçus au loin la masse sombre de mon jardin, et je ne
sais d'où [47] me vint une sorte de malaise à l'idée d'entrer là
dedans.   Je ralentis le pas.   Il faisait très doux.   Le gros tas
d'arbres avait l'air d'un tombeau où ma maison était en-
sevelie.
20 J'ouvris ma barrière et je pénétrai dans la longue allée de
sycomores, qui s'en allait vers le logis, arquée en voûte
comme un haut tunnel, traversant des massifs opaques et
contournant des gazons où les corbeilles de fleurs plaquaient,
sous les ténèbres pâlies, des taches ovales aux nuances in-
25 distinctes.*
En approchant de la maison, un trouble bizarre me saisit.
Je m'arrêtai.   On n'entendait rien.   Il n'y avait pas dans les
feuilles un souffle d'air.   «Qu'est-ce que j'ai donc?» pensai-
je.   Depuis dix ans je rentrais [182] ainsi sans que jamais la
30 moindre inquiétude m'eût [310] effleuré.   Je n'avais pas peur.
Je n'ai jamais eu peur, la nuit.   La vue d'un homme, d'un

Line 3. **soit vingt minutes** *say twenty minutes.*
Line 25. **taches ovales aux nuances indistinctes** *oval patches of colors
hard to make out.*

maraudeur, d'un voleur m'aurait jeté une rage dans le [253] corps, et j'aurais sauté dessus sans hésiter. J'étais armé, d'ailleurs. J'avais mon revolver. Mais je n'y [145] touchai point, car je voulais résister à cette influence de crainte qui germait en moi.

Qu'était-ce? Un pressentiment? Le pressentiment mystérieux qui s'empare des sens des hommes quand ils vont voir de l'inexplicable? Peut-être? Qui sait?

A mesure que j'avançais, j'avais dans la peau des tressaillements, et quand je fus devant le mur, aux auvents clos, de ma vaste demeure, je sentis qu'il me faudrait attendre quelques minutes avant d'ouvrir la porte et d'entrer dedans. Alors, je m'assis sur un banc, sous les fenêtres de mon salon. Je restai là, un peu vibrant, la tête appuyée contre la muraille, les yeux ouverts sur l'ombre des feuillages. Pendant ces premiers instants, je ne remarquai rien d'insolite autour de moi. J'avais dans les oreilles quelques ronflements; mais cela m'arrive souvent. Il me semble parfois que j'entends [109] passer des trains, que j'entends [110] sonner des cloches, que j'entends [111] marcher une foule.

Puis bientôt, ces ronflements devinrent plus distincts, plus précis, plus reconnaissables. Je m'étais [216] trompé. Ce n'était pas le bourdonnement ordinaire de mes artères qui mettait dans mes oreilles ces rumeurs, mais un bruit très particulier, très confus cependant, qui venait, à n'en [146] point douter, de l'intérieur de ma maison.

Je le distinguais à travers le mur, ce bruit continu, plutôt une agitation qu'un bruit, un remuement vague d'un tas de choses, comme si on eût [322] secoué, déplacé, traîné doucement tous mes meubles.

Oh! je doutai, pendant un temps assez encore,* de la sûreté de mon oreille. Mais l'ayant collée contre un auvent pour mieux percevoir ce trouble étrange de mon logis, je demeurai

Line 31. **pendant un temps assez encore** *for a while longer.*

convaincu, certain, qu'il se passait [267] chez moi quelque chose
d'anormal et d'incompréhensible. Je n'avais pas peur, mais
j'étais . . . comment exprimer cela . . . effaré d'étonnement. Je n'armai pas mon revolver—devinant fort bien que
5 je n'en avais nul besoin. J'attendis.

J'attendis longtemps, ne pouvant me décider à rien, l'esprit lucide, mais follement anxieux.   J'attendis, debout,
écoutant toujours le bruit qui grandissait, qui prenait, par
moments, une intensité violente, qui semblait devenir un
10 grondement d'impatience, de colère, d'émeute mystérieuse.

Puis soudain, honteux de ma lâcheté, je saisis mon trousseau de clefs, je choisis celle qu'il me fallait, je l'enfonçai
dans la serrure, je la [86] fis tourner deux fois, et poussant la
porte de toute ma force, j'envoyai le battant heurter la
15 cloison.

Le coup sonna comme une détonation de fusil, et voilà
qu'à ce bruit d'explosion répondit,* du haut en bas de ma
demeure, un formidable tumulte. Ce fut si subit, si terrible,
si assourdissant que je reculai de quelques pas, et que, bien
20 que le sentant toujours inutile,* je tirai de sa gaine mon
revolver.

J'attendis encore, oh! peu de temps. Je distinguais, à
présent, un extraordinaire piétinement sur les marches de
mon escalier, sur les parquets, sur les tapis, un piétinement,
25 non pas de chaussures, de souliers humains, mais de béquilles,
de béquilles de bois et de béquilles de fer qui vibraient comme
des cymbales. Et voilà que j'aperçus tout à coup, sur le seuil
de ma porte, un fauteuil, mon grand fauteuil de lecture, qui
sortait en se dandinant. Il s'en alla par le jardin. D'autres
30 le suivaient, ceux de mon salon, puis les canapés bas et se

Line 17. **à ce bruit d'explosion répondit . . . un formidable tumulte** *to
this noise of an explosion there replied a fearful uproar.*

Line 20. **bien que le sentant toujours inutile** *although feeling it to be
useless anyhow.*

traînant comme des crocodiles sur leurs courtes pattes, puis
toutes mes chaises, avec des bonds de chèvres, et les petits
tabourets qui trottaient comme des lapins.

Oh! quelle émotion! Je me glissai dans un massif où je
demeurai accroupi, contemplant toujours ce défilé de mes 5
meubles, car ils s'en allaient tous, l'un derrière l'autre, vite
ou lentement, selon leur taille et leur poids. Mon piano,
mon grand piano à queue, passa avec un galop de cheval
emporté et un murmure de musique dans le flanc, les moindres
objets glissaient sur le sable comme des fourmis, les brosses, 10
les cristaux, les coupes, où le clair de lune accrochait des
phosphorescences de vers luisants. Les étoffes rampaient,
s'étalaient en flaques à la façon des pieuvres de la mer. Je
vis [112] paraître mon bureau, un rare bibelot du dernier siècle,
et qui contenait toutes les lettres que j'ai reçues, toute 15
l'histoire de mon cœur, une vieille histoire dont [31] j'ai tant
souffert! Et dedans étaient aussi des photographies.

Soudain, je n'eus plus peur, je m'élançai sur lui et je le
saisis comme on saisit un voleur, comme on saisit une femme
qui fuit; mais il allait d'une course irrésistible, et malgré mes 20
efforts, et malgré ma colère, je ne pus même ralentir sa marche.
Comme je résistais en désespéré à cette force épouvantable,
je m'abattis par terre en luttant contre lui. Alors, il me roula,
me traîna sur le sable, et déjà les meubles, qui le suivaient,
commençaient à marcher sur moi, piétinant mes jambes et 25
les meurtrissant; puis, quand je l'eus lâché, les autres passèrent sur mon corps ainsi qu'une charge de cavalerie sur un
soldat démonté.

Fou d'épouvante enfin, je pus me traîner hors de la grande
allée et me cacher de nouveau dans les arbres, pour re- 30
garder [113] disparaître les plus infimes objets, les plus petits,
les plus modestes, les plus ignorés de moi, qui m'avaient
appartenu.

Puis j'entendis, au loin, dans mon logis sonore à présent

comme les maisons vides, un formidable bruit de portes
refermées.* Elles claquèrent du haut en bas de la demeure,
jusqu'à ce que celle du vestibule que j'avais ouverte moi-
même, insensé, pour ce départ, se fût [303] close,[225] enfin, la
5 dernière.

Je m'enfuis aussi, courant vers la ville, et je ne repris
mon sang-froid que dans les rues, en rencontrant des gens
attardés. J'allai sonner à la porte d'un hôtel où j'étais connu.
J'avais battu, avec mes mains, mes vêtements, pour en dé-
10 tacher la poussière, et je racontai que j'avais perdu mon
trousseau de clefs, qui contenait aussi celle du potager,
où [48] couchaient mes domestiques en une maison isolée,
derrière le mur de clôture qui préservait mes fruits et mes
légumes de la visite des maraudeurs.

15 Je m'enfonçai jusqu'aux yeux dans le lit qu'on me donna.
Mais je ne pus dormir, et j'attendis le jour en écoutant [114]
bondir mon cœur. J'avais ordonné qu'on prévînt [292] mes
gens dès l'aurore, et mon valet de chambre heurta ma porte
à sept heures du matin.

20 Son visage semblait bouleversé.

—Il est [205] arrivé [268] cette nuit un grand malheur, monsieur,
dit-il.

—Quoi donc?

—On a volé tout le mobilier de monsieur,* tout, tout,
25 jusqu'aux plus petits objets.

Cette nouvelle me fit plaisir. Pourquoi? Qui sait? J'étais
fort maître de moi, sûr de dissimuler, de ne rien dire à personne de ce que j'avais vu, de le cacher, de l'enterrer dans
ma conscience comme un effroyable secret. Je répondis:

30 —Alors, ce sont les mêmes personnes qui m'ont [147] volé

Line 2. **refermées** *being closed again.*
Line 24. **tout le mobilier de monsieur** *all your furniture.* Servants often
use **monsieur** and the third person of the verb in place of the regular second
person.

mes clefs. Il faut prévenir tout de suite la police. Je me lève
et je vous y rejoindrai dans quelques instants.

L'enquête dura cinq mois. On ne découvrit rien, on ne
trouva ni le plus petit de mes bibelots, ni la plus légère trace
des voleurs. Parbleu! Si j'avais dit ce que je savais. . . . Si 5
je l'avais dit . . . on m'aurait enfermé, moi, pas les voleurs,
mais l'homme qui avait pu voir une pareille chose.

Oh! je sus me taire. Mais je ne remeublai pas ma maison.
C'était bien inutile. Cela aurait recommencé toujours.* Je
n'y voulais plus rentrer.* Je n'y rentrai pas. Je ne la revis 10
point.

Je vins à Paris, à l'hôtel, et je consultai des médecins sur
mon état nerveux qui m'inquiétait [183] beaucoup depuis cette
nuit déplorable.

Ils m'engagèrent à voyager. Je suivis leur conseil.   15

II

Je commençai par une excursion en Italie. Le soleil me fit
du bien. Pendant six mois, j'errai de Gênes à Venise, de Venise
à Florence, de Florence à Rome, de Rome à Naples. Puis je
parcourus la Sicile, terre admirable par sa nature et ses monuments, reliques laissées par les Grecs et les Normands. Je 20
passai en Afrique, je traversai pacifiquement ce grand désert
jaune et calme, où [49] errent des chameaux, des gazelles et
des Arabes vagabonds, où,[50] dans l'air léger et transparent,
ne flotte aucune hantise, pas plus la nuit que le jour.

Je rentrai en France par Marseille, et malgré la gaieté 25
provençale, la lumière diminuée du ciel m'attrista. Je res-
sentis, en revenant sur le continent, l'étrange impression d'un
malade qui se croit guéri et qu'une douleur sourde prévient
que le foyer du mal n'est pas éteint.

Line 9. **toujours** *every time.*
Line 10. **Je n'y voulais plus rentrer = Je ne voulais plus y rentrer**
I did not want to go back there.

Puis je revins à Paris. Au bout d'un mois, je m'y ennuyai.
C'était à l'automne, et je voulus faire, avant l'hiver, une
excursion à travers la Normandie, que je ne connaissais pas.

Je commençai par Rouen, bien entendu, et pendant huit
5 jours, j'errai distrait, ravi, enthousiasmé, dans cette ville du
moyen âge, dans ce surprenant musée d'extraordinaires
monuments gothiques.

Or, un soir, vers quatre heures, comme je m'engageais dans
une rue invraisemblable où [51] coule une rivière noire comme
10 de l'encre nommée «Eau de Robec,» mon attention, toute
fixée sur la physionomie bizarre et antique des maisons, fut
détournée tout à coup par la vue d'une série de boutiques de
brocanteurs qui se [276] suivaient de porte en porte.

Ah! ils avaient bien choisi leur endroit, ces sordides
15 trafiquants de vieilleries, dans cette fantastique ruelle, au-
dessus de ce cours d'eau sinistre, sous ces toits pointus de
tuiles et d'ardoises où [52] grinçaient encore les girouettes du
passé!

Au fond des noirs magasins, on voyait [115] s'entasser les
20 bahuts sculptés, les faïences de Rouen, de Nevers, de Moustiers, des statues peintes, d'autres en chêne, des Christ, des
vierges, des saints, des ornements d'église, des chasubles,
des chapes, même des vases sacrés et un vieux tabernacle en
bois doré d'où Dieu avait déménagé. Oh! les singulières
25 cavernes en ces hautes maisons, en ces grandes maisons,
pleines, des caves aux greniers, d'objets de toute nature,
dont [14] l'existence semblait finie, qui survivaient à leurs
naturels possesseurs, à leur siècle, à leur temps, à leurs modes,
pour être achetés, comme curiosités, par les nouvelles généra-
30 tions.

Ma tendresse pour les bibelots se réveillait dans cette cité
d'antiquaires. J'allais de boutique en boutique, traversant,
en deux enjambées, les ponts de quatre planches pourries
jetées sur le courant nauséabond de l'Eau de Robec.

Miséricorde! Quelle secousse! Une de mes plus belles ar-
moires m'apparut au bord d'une voûte encombrée d'objets et
qui semblait l'entrée des catacombes d'un cimetière de meubles anciens. Je m'approchai tremblant de tous mes membres,
tremblant tellement que je n'osais pas la toucher. J'avan-   5
çais la main, j'hésitais. C'était bien elle, pourtant: une
armoire Louis XIII unique, reconnaissable par quiconque
avait pu la voir une seule fois. Jetant soudain les yeux un
peu plus loin, vers les profondeurs plus sombres de cette
galerie, j'aperçus trois de mes fauteuils couverts de tapisserie 10
au petit point, puis, plus loin encore, mes deux tables Henri II,
si rares qu'on venait les voir de Paris.

Songez! songez à l'état de mon âme!

Et j'avançai, perclus, agonisant d'émotion, mais j'avançai,
car je suis brave, j'avançai comme un chevalier des époques 15
ténébreuses pénétrait en un séjour de sortilèges. Je retrou-
vais, de pas en pas, tout ce qui m'avait appartenu, mes lustres,
mes livres, mes tableaux, mes étoffes, mes armes, tout, sauf
le bureau plein de mes lettres, et que je n'aperçus point.

J'allais, descendant à des galeries obscures pour remonter 20
ensuite aux étages supérieurs. J'étais seul. J'appelais, on ne
répondait point. J'étais seul; il n'y avait personne en cette
maison vaste et tortueuse comme un labyrinthe.

La nuit vint, et je dus [257] m'asseoir, dans les ténèbres, sur
une de mes chaises, car je ne voulais point m'en aller. De 25
temps en temps je criais:—Holà! holà! quelqu'un!*

J'étais [184] là, certes, depuis plus d'une heure quand j'entendis des pas, des pas légers, lents, je ne sais où. Je faillis
me sauver; mais, me raidissant, j'appelai de nouveau, et,
j'aperçus une lueur dans la chambre voisine.   30

—Qui est là? dit une voix.

Je répondis:

—Un acheteur.

Line 26. Holà! holà! quelqu'un! *Hey! I want somebody to wait on me!*

On répliqua:

—Il est bien tard pour entrer ainsi dans les boutiques.

Je repris:

—Je vous attends [174] depuis plus d'une heure.

—Vous pouviez* revenir demain.

—Demain, j'aurai quitté Rouen.

Je n'osais point avancer, et il ne venait pas. Je voyais toujours la lueur de sa lumière éclairant une tapisserie où deux anges volaient au-dessus des morts d'un champ de bataille. Elle m'appartenait aussi. Je dis:

—Eh bien! Venez-vous?

Il répondit:

—Je vous attends.

Je me levai et j'allai vers lui.

Au milieu d'une grande pièce était un tout petit homme, tout petit et très gros, gros comme un phénomène, un hideux phénomène.

Il avait une barbe rare, aux poils inégaux, clairsemés et jaunâtres, et pas un cheveu sur la tête! Pas un cheveu! Comme il tenait sa bougie élevée à bout de bras pour m'apercevoir, son crâne m'apparut comme une petite lune dans cette vaste chambre encombrée de vieux meubles. La figure était ridée et bouffie, les yeux imperceptibles.

Je marchandai trois chaises qui étaient à moi, et les payai sur-le-champ une grosse somme, en donnant simplement le numéro de mon appartement à l'hôtel. Elles devaient [263] être livrées le lendemain avant neuf heures.

Puis je sortis. Il me reconduisit jusqu'à sa porte avec beaucoup de politesse.

Je me rendis ensuite chez le commissaire central de la police, à qui je racontai le vol de mon mobilier et la découverte que je venais de faire.

Line 5. **Vous pouviez** *You could have.*

Il demanda* séance tenante des renseignements par télégraphe au parquet qui avait instruit l'affaire de ce vol, en
me priant d'attendre la réponse. Une heure plus tard, elle
lui [148] parvint tout à fait satisfaisante pour moi.

—Je vais faire [87] arrêter cet homme et l'interroger tout de
suite, me dit-il, car il pourrait avoir conçu quelque soupçon
et faire [88] disparaître ce qui vous appartient. Voulez-vous
aller dîner et revenir dans deux heures, je l'aurai ici et je
lui ferai [89] subir un nouvel interrogatoire devant vous.

—Très volontiers, monsieur. Je vous remercie de tout
mon cœur.

J'allai dîner à mon hôtel, et je mangeai mieux que je n'aurais cru.* J'étais assez content tout de même. On le tenait.

Deux heures plus tard, je retournai chez le fonctionnaire
de la police qui m'attendait.

—Eh bien! monsieur, me dit-il en m'apercevant. On n'a
pas trouvé votre homme. Mes agents n'ont pu mettre la
main dessus.

Ah! Je me sentis défaillir.

—Mais. . . . Vous avez bien trouvé sa maison? demandai-
je.

—Parfaitement. Elle va même être surveillée et gardée
jusqu'à son retour. Quant à lui, disparu.

—Disparu?

—Disparu. Il passe ordinairement ses soirées chez sa
voisine, une brocanteuse aussi, une drôle de sorcière, la
veuve Bidoin. Elle ne l'a pas vu ce soir et ne peut donner
sur lui aucun renseignement. Il faut attendre demain.

Je m'en allai. Ah! que [286] les rues de Rouen me semblèrent
sinistres, troublantes, hantées!

Line 1. **Il demanda . . . des renseignements . . . au parquet** *He
asked the prosecuting attorney's office for information.*
Line 13. **mieux que je n'aurais cru** An expletive **ne** is used after a com-
parative; it is not translated.

Je dormis si mal, avec des cauchemars à chaque bout de sommeil.

Comme je ne voulais pas paraître trop inquiet ou pressé, j'attendis dix heures,* le lendemain, pour me rendre à la police.

5   Le marchand n'avait pas reparu. Son magasin demeurait fermé.

Le commissaire me dit:

—J'ai fait toutes les démarches nécessaires. Le parquet est au courant de la chose; nous allons aller ensemble à cette
10 boutique et la faire [90] ouvrir, vous m'indiquerez tout ce qui est à vous.

Un coupé nous emporta. Des agents stationnaient, avec un serrurier, devant la porte de la boutique, qui fut ouverte.

Je n'aperçus, en entrant, ni mon armoire, ni mes fauteuils,
15 ni mes tables, ni rien, rien, de ce qui avait meublé ma maison, mais rien,* alors que la veille au soir je ne pouvais faire un pas sans rencontrer un de mes objets.

Le commissaire central, surpris, me regarda d'abord avec méfiance.

20   —Mon Dieu, monsieur, lui dis-je, la disparition de ces meubles coïncide étrangement avec celle du marchand.

Il sourit:

—C'est vrai! Vous avez eu tort d'acheter et de payer des bibelots à vous,* hier. Cela lui a donné l'éveil.

25   Je repris:

—Ce qui me paraît incompréhensible, c'est que toutes les places occupées par mes meubles sont maintenant remplies par d'autres.

—Oh! répondit le commissaire, il a eu toute la nuit, et des
30 complices sans doute. Cette maison doit [260] communiquer avec les voisines.[349] Ne craignez rien, monsieur, je vais m'occu-

Line 4. **j'attendis dix heures** *I waited until ten o'clock.*
Line 16. **mais rien** *I say, nothing.*
Line 24. **des bibelots à vous** *knickknacks (already) belonging to you.* See footnote to page 69, line 17.

per très activement de cette affaire. Le brigand ne nous [149]
échappera pas longtemps puisque nous gardons la tanière.

. . . .

Ah! mon cœur, mon cœur, mon pauvre cœur, comme il
battait!

. . . .

Je demeurai quinze jours à Rouen. L'homme ne revint 5
pas. Parbleu! parbleu! Cet homme-là qui est-ce qui aurait
pu l'embarrasser ou le surprendre?

Or, le seizième jour, au matin, je reçus de mon jardinier,
gardien de ma maison pillée et demeurée [164] vide, l'étrange
lettre que voici: 10

«Monsieur,

«J'ai l'honneur d'informer monsieur* qu'il s'est [206] passé,[269]
la nuit dernière, quelque chose que personne ne comprend, et
la police pas plus que nous. Tous les meubles sont [207] revenus,
tous sans exception, tous, jusqu'aux plus petits objets. La 15
maison est maintenant toute pareille à ce qu'elle était la
veille du vol. C'est à en perdre la tête.* Cela s'est [208] fait
dans la nuit de vendredi à samedi. Les chemins sont défoncés
comme si on avait traîné tout de la barrière à la porte. Il
en était ainsi le jour de la disparition. 20

«Nous attendons monsieur,* dont [23] je suis le très humble
serviteur.

«Raudin, Philippe.»

Ah! mais non, ah! mais non, ah! mais non. Je n'y retour-
nerai pas! 25

Je portai la lettre au commissaire de Rouen.

—C'est une restitution très adroite, dit-il. Faisons les
morts. Nous pincerons l'homme un de ces jours.

. . . .

Lines 12 and 21. **monsieur** See footnote to page 86, line 24.
Line 17. **C'est à en perdre la tête** *It is enough to drive a body crazy.*

Mais on ne l'a pas pincé. Non. Ils ne l'ont pas pincé, et j'ai peur de lui, maintenant, comme si c'était une bête féroce lâchée derrière moi.

Introuvable! il est introuvable, ce monstre à crâne de
5 lune! On ne le prendra jamais. Il ne reviendra point chez lui. Que lui importe à lui?[338] Il n'y a que moi qui peux le rencontrer, et je ne veux pas.

Je ne veux pas! je ne veux pas! je ne veux pas!

Et s'il revient, s'il rentre dans sa boutique, qui pourra
10 prouver que mes meubles étaient chez lui? Il n'y a contre lui que mon témoignage, et je sens bien qu'il devient suspect.

Ah! mais non! cette existence n'était plus possible. Et je ne pouvais pas garder le secret de ce que j'ai vu. Je ne pouvais pas continuer à vivre comme tout le monde avec la crainte
15 que des choses pareilles recommençassent.[297]

Je suis [209] venu trouver le médecin qui dirige cette maison de santé, et je lui ai tout raconté.

Après m'avoir interrogé longtemps, il m'a dit:

—Consentiriez-vous, monsieur, à rester quelque temps ici?
20 —Très volontiers, monsieur.

—Vous avez de la fortune?

—Oui, monsieur.

—Voulez-vous un pavillon isolé?

—Oui, monsieur.
25 —Voudrez-vous recevoir des amis?

—Non, monsieur, non, personne. L'homme de Rouen pourrait oser, par vengeance, me poursuivre ici. . . .

Et je suis [175] seul, seul, tout seul, depuis trois mois. Je suis tranquille à peu près. Je n'ai qu'une peur.* . . . Si
30 l'antiquaire devenait fou . . . et si on l'amenait en cet asile.* . . . Les prisons elles-mêmes ne sont pas sûres. . . .

Line 29. **Je n'ai qu'une peur** *I am afraid of only one thing.*
Line 31. **Si l'antiquaire devenait fou . . . et si on l'amenait en cet asile** *What if . . . and what if . . .*

NOTES

I. THE RELATIVE PRONOUN **DONT**

Dont represents a combination of **de** with the relative pronoun. Its antecedent may be a person or a thing. **Dont** may be the complement (a) of the subject of the dependent verb, (b) of the object of the dependent verb, (c) of the dependent verb itself.

A. **Dont** *as the Complement of the Subject of the Dependent Verb*

When **dont** is the complement of the subject of the dependent verb, it means *whose* or *of whom* if its antecedent is a person, *of which* if its antecedent is a thing.

1. **les femmes, dont l'opinion s'appuyait sur la poésie** *the women, whose opinion was based on poetic sentiment.* Page 6, line 14.
2. **cuvette de verdure dont les bords, . . ., étaient faits** *basin of verdure the edges of which were made.* Page 15, line 20.
3. **toutes les plantes dont les racines grasses** *all the plants the succulent roots of which.* Page 23, line 5.
4. **toutes les plantes . . . dont la feuille inutile sert** *all the plants . . . the useless leaves of which are used.* Page 23, line 6.
5. **campagnards, dont l'un, le mari . . . avait attendu** *peasants, one of whom, the husband, . . ., had waited.* Page 27, line 20.
6. **la mairie dont la porte se referma derrière eux.** Page 30, line 1.
7. **télégraphe dont le bureau faisait face à la mairie.** Page 33, line 4.
8. **un drapeau blanc, dont la vue réjouirait peut-être le cœur.** Besides being a flag of truce, the white flag (with golden fleur-de-lis) was the flag of the Bourbon dynasty. Page 35, line 30.
9. **Les jeunes misses, dont les chaussures rappelaient les constructions navales.** Page 55, line 20.
10. **un énorme bonnet blanc, dont les rubans lui flottaient dans le dos.** Page 61, line 11.

11. **cette malheureuse dont la jambe droite était brisée.** Page 65, line 18.

12. **cette malheureuse . . . dont les os avaient crevé les chairs** *this unfortunate woman . . . the bones of whose leg had broken through the flesh.* Maupassant did not express this thought very carefully but there is no doubt as to the meaning. Page 65, line 19.

13. **une femme aimable dont la caresse accoutumée est devenue.** Page 81, line 13.

14. **objets de toute nature, dont l'existence semblait finie.** Page 88, line 27.

B. **Dont** *as the Complement of the Object of the Dependent Verb*

When **dont** is the complement of the object of the dependent verb (or of the predicate noun after the verb *to be*, e.g., sentence 23), it means *whose* or *of whom* if its antecedent is a person, *of which* if its antecedent is a thing. While French **dont** and English *whose* are always the first word of the relative clause, *of whom* and *of which* are preceded by the object of the dependent verb.

15. **sa grande chambre dont on avait fermé les volets** *his large bedroom the shutters of which they had closed.* Page 1, line 3.

16. **bandits dont on ait gardé le souvenir** *bandits whose memory one has kept,* i.e., *whose memory has been preserved.* Page 18, line 34.

17. **les deux bocks dont il répandait, . . ., les gouttes jaunes** *the two beers the yellow drops of which he spilled.* Page 40, line 26.

18. **le médecin, dont je reconnus la voix** *the doctor, whose voice I recognized.* Page 63, line 7.

19. **un de ces demi-vieux tout gris, dont il est impossible de connaître l'âge.** Page 67, line 12.

20. **un de ces demi-vieux tout gris, . . . dont on devine l'histoire** *whose history one (can) guess.* Page 67, line 13.

21. **comme un singe, dont il avait . . . le physique grimaçant et grotesque.** Page 68, line 16.

22. **les ressources de société dont je sentais, par moments, le désir.** Page 81, line 17.

23. **monsieur, dont je suis le très humble serviteur.** Page 93, line 21.

C. **Dont** *as the Complement of the Verb Itself*

When **dont** is the complement of the verb itself, it means *of which, from which, with which, on which, at which* (i.e., the various meanings of **de**, plus *which*), if its antecedent is a thing. In this case, the relative pronoun (or preposition and pronoun) is the first word of the relative clause in both French and English.

24. **les fonctions dont vous avez été investi** *the office with which you were invested* (investir de). Page 32, line 14.
25. **les mains dont elle se couvrait le visage** (couvrir de). Page 44, line 30.
26. **affaire dont il vous parlera** (parler de *to speak of*). Page 51, line 33.
27. **maisons . . . dont dépendent quatre ou cinq fermes.** (dépendre de). Page 60, line 14.
28. **les choses . . . dont mon cœur d'enfant était remué** *the things . . . at which my childish heart was stirred* (être remué de). Page 61, line 26.
29. **les termes dont il se servait** (se servir de). Page 63, line 13.
30. **Cette question du latin, dont on nous abrutit depuis quelque temps** (abrutir de). Page 67, line 1.
31. **histoire dont j'ai tant souffert** (souffrir de). Page 85, line 16.

II. INVERTED WORD ORDER IN DEPENDENT CLAUSES

In French and English the usual word order is: subject first and verb second. However, in some subordinate clauses in French the order is sometimes reversed. These clauses are introduced by **que** (as subordinating conjunction), by **que** and **dont** (as relative pronouns), by **où** and **d'où**, and by **comme**. In these cases in English the reversal of subject and verb does not take place.

32. **en même temps que naissait un enfant** *at the same time that a child was born.* Page 2, line 2.
33. **que secouait un rire formidable** *whom a terrific laugh convulsed.* Page 5, line 1.
34. **Comme l'a dit le marquis** *As the marquess said.* Page 7, line 11.
35. **d'où semblait sortir cette musique monotone** *from which that monotonous music . . . seemed to come forth.* Page 15, line 6.

36. **que se sont réfugiés tous nos bandits** *that all our bandits took refuge.* Page 16, line 4.

37. **où poussent les récoltes lourdes.** Page 21, line 27.

38. **où s'était barricadé l'ennemi.** Page 30, line 18.

39. **que tireraient M. de Varnetot et ses trois gardes.** Page 35, line 22.

40. **que traversaient les lueurs des devantures** *which the lights from the store windows crossed.* Page 39, line 4.

41. **où aurait été lavé tout ce poil** *in which all this hair might have been washed.* Page 42, line 28.

42. **dont dépendent quatre ou cinq fermes.** Page 60, line 14.

43. **non pas comme boitent les estropiés ordinaires.** Page 61, line 3.

44. **que me narrait ma mère.** Page 62, line 11.

45. **qu'insinue en moi la présence des autres.** Page 79, line 18.

46. **qu'entourait un grand mur.** Page 81, line 19.

47. **d'où me vint une sorte de malaise** *whence a sort of discomfort came to me* (i.e., *over me*). Page 82, line 16.

48. **où couchaient mes domestiques.** Page 86, line 12.

49. **où errent des chameaux, etc.** Page 87, line 22.

50. **où . . . ne flotte aucune hantise** *where . . . no haunting thought hovers.* Page 87, line 23.

51. **où coule une rivière.** Page 88, line 9.

52. **où grinçaient encore les girouettes du passé!** Page 88, line 17.

III. FAIRE AS CAUSATIVE

Faire + Infinitive = *to have, to make, to cause* + Active Infinitive (with or without Preposition *to*), Passive Infinitive, or Past Participle

In this construction, **faire** is always followed by the infinitive with which it forms a single verbal unit. No object (noun or pronoun) can come between the two verbs. If both verbs have but one object, it can generally be best translated as the object of **faire,** although it may really be the object of the dependent infinitive, e.g., sentence 85; if there are two objects (direct and indirect), the indirect is generally the object of **faire** while the direct is the object of the dependent infinitive, e.g., sentences 63 and 89. In English the object of each verb is shown by word order, i.e., the object of the causative (*to have, to make, to cause*) comes after it but before the dependent verb, while the object of the dependent verb comes after it.

When the dependent infinitive in French has passive force (represented in English by the passive infinitive or past participle), it may be followed by the agent expressed with **par** or **de,** e.g., sentences 59 and 68.

53. **le hasard a fait s'accomplir des événements importants** *chance has caused important happenings to be brought about.* Page 2, line 11.

54. **je vais me faire mieux comprendre** *I am going to make myself better understood.* Page 7, line 26.

55. **qui le fit rire** *which made him laugh.* Page 10, line 20.

56. **ce qui faisait bondir le cœur.** Page 10, line 23.

57. **les faire passer par ici.** Page 10, line 26.

58. **On me fit asseoir** *They made me sit down.* Page 12, line 20.

59. **je l'aurais fait arrêter par la gendarmerie et flanquer en prison** *I should have had her arrested by the police and thrown in jail.* Page 13, line 3.

60. **le fit entrer** *made him come in.* Page 22, line 10.

61. **Je te ferai manger de bonnes choses** *I shall have you eat some good things.* Page 24, line 2.

62. **Saint Michel le fit asseoir.** Page 24, line 6.

63. **faisait hurler à son monde « Vive la patrie! »** *made his crowd shout, "Hurrah for our country!"* Page 27, line 13.

64. **Pour me faire flanquer un coup de fusil** *To get " socked " by a bullet.* Page 31, line 7.

65. **Plus souvent que je me ferai casser la figure** *Before I'll go and get my face smashed.* Page 31, line 14.

66. **se faire entendre** *to make himself heard.* Page 31, line 30.

67. **de m'en faire sortir** *to make me leave* (*it*). Page 32, line 21.

68. **en faisant suivre son nom de tous ses titres** *in having his name followed by all his titles.* Page 33, line 15.

69. **pour se faire entendre.** Page 36, line 22.

70. **faisait luire les trottoirs** *made the sidewalks glisten.* Page 39, line 4.

71. **me faisait galoper . . ., et hurler.** Page 44, line 8.

72. **Vous allez vous faire tremper** *You are going to get soaked.* Page 49, line 22.

73. **fit monter le prêtre dans son cabinet** *made the priest go up into his office.* Page 51, line 21.

74. **se fit apporter les journaux** *had the newspapers brought to him.* Both **se** and **journaux** are objects of **apporter.** Page 52, line 8.

75. **faites-le condamner** *have him sentenced.* Page 52, line 31.
76. **pour le faire condamner** Page 53, line 1.
77. **J'ai fait chanter mon rêve** *I had my dream sung.* Page 58, line 14.
78. **Je fis venir du secours et les parents de l'ouvrière** *I had help and the parents of the working girl come,* i.e., *I sent for help and for the parents of the working girl.* Page 65, line 22.
79. **fit imprimer . . . et peindre.** Page 68, line 17.
80. **me fit prendre des répétitions spéciales.** Page 68, line 26.
81. **en vous faisant parler.** Page 70, line 17.
82. **lui faisait plier la taille** *made her bend her form,* i.e., *made her bend over.* Page 70, line 30.
83. **je les ferais monter** *I would have them get in.* Page 74, line 13.
84. **fit chasser le père Piquedent** *caused old Piquedent to be expelled.* Page 77, line 11.
85. **J'avais fait construire cette maison** *I had had this house built* (*I had somebody build this house*). Page 81, line 15.
86. **je la fis tourner.** Page 84, line 13.
87. **Je vais faire arrêter cet homme et l'interroger** (i.e., **je vais le faire interroger**) *I am going to have this man arrested and have him questioned.* Page 91, line 5.
88. **il pourrait . . . faire disparaître** *he might . . . cause to disappear.* Page 91, line 7.
89. **je lui ferai subir un nouvel interrogatoire** *I shall have him undergo another questioning.* Page 91, line 9.
90. **et la faire ouvrir.** Page 92, line 10.

IV. ENTENDRE, ÉCOUTER, VOIR, REGARDER AND LAISSER + INFINITIVE

This construction is similar to that of the causative **faire**, except that the object of **entendre**, etc., sometimes comes between the two verbs, e.g., sentences 98 and 102.

91. **J'avais entendu raconter la mort de mon oncle Ollivier** *I had heard (the story of) the death of my uncle Ollivier told.* Page 1, line 1.
92. **j'entendis crier** *I heard (someone) cry.* Page 3, line 14.
93. **si j'en entends crier un** *if I hear one of them cry.* Page 5, line 8.

94. **il se laissa faire** *he allowed it to be done to him,* i.e., *he did not resist.* Page 9, line 17.

95. **Il . . . se laissa caresser** *He allowed himself to be fondled.* Page 10, line 13.

96. **avait vu surgir un adversaire.** Page 27, line 1.

97. **à en voir sortir un canon de fusil braqué sur lui** *to see a barrel of a gun leveled at him come out of them* (i.e., *out of the windows*). Page 31, line 23.

98. **qu'il allait voir la porte s'ouvrir et son adversaire se replier.** Page 35, line 16.

99. **le voyant partir.** Page 49, line 21.

100. **d'entendre dire à une mignonne bouche rose: « J'aimé bôcoup la gigotte. »** *to hear a cute little pink mouth say,* " *J'aimé bôcoup la gigotte.*" Page 57, line 26.

101. **regardant tourner les ailes de bois** *watching the wooden wings revolve.* Page 62, line 1.

102. **j'entendis mon père et ma mère causer.** Page 63, line 6.

103. **entendant murmurer** *hearing (someone) mumble.* Page 64, line 24.

104. **écoute répéter ses musiciens** *listens to his musicians rehearsing.* Page 68, line 4.

105. **en nous voyant fumer.** Page 71, line 3.

106. **Je le vis pâlir.** Page 72, line 8.

107. **Elle laissait traîner sa main.** Page 75, line 4.

108. **de les voir partir.** Page 80, line 2.

109. **que j'entends passer des trains** *that I hear trains going by.* Page 83, line 18.

110. **que j'entends sonner des cloches.** Page 83, line 19.

111. **que j'entends marcher une foule.** Page 83, line 20.

112. **Je vis paraître mon bureau.** Page 85, line 14.

113. **pour regarder disparaître les plus infimes objets, etc.** Page 85, line 31.

114. **en écoutant bondir mon cœur.** Page 86, line 16.

115. **on voyait s'entasser les bahuts sculptés, etc.** Page 88, line 19.

V. À AND DE UNDERSTOOD IN VERBAL IDIOMS

Many verbs and verbal expressions take the preposition **à** or the preposition **de** before their substantive complements. However, when the complement is a conjunctive pronoun, the preposition disappears, as it is understood as part of the pronoun itself. The pronouns with which à is understood are me, te, lui, nous, vous, leur and y; de is understood with en. For de understood with dont, see sentences 24 to 31.

116. **J'y crois** *I believe in it* (croire à). Page 2, line 8.
117. **leur enlevait** *took away from them* (enlever à). Page 7, line 2.
118. **lui avait volé** *had stolen from him* (voler à). Page 9, line 8.
119. **Elle y réussit** *She succeeded in it* (réussir à). Page 10, line 27.
120. **comme si elle lui avait volé sa réputation** *as if she had stolen his reputation from him* (voler à). Page 12, line 25.
121. **je vous en réponds** *I assure you of it* or *of that* (répondre à + person, de + thing). Page 13, line 4.
122. **puisqu'elle vous en a chargé** *since she entrusted you with it* (charger de). Page 13, line 23.
123. **Disposez-en** *Do with them* (disposer de). Page 14, line 9.
124. **lui enleva** (enlever à). Page 17, line 6.
125. **je n'y ai point pensé du tout** *I did not think of it at all* (penser à). Page 23, line 12.
126. **de s'en venger** *to take revenge on him* (se venger de). Page 23, line 29.
127. **s'en échappèrent** *slipped out of them*, i.e., *the doors* (s'échapper de). Page 31, line 28.
128. **d'en finir** *to put an end to it* (finir de). Page 34, line 16.
129. **Je lui demandai** (demander à). Page 41, line 24.
130. **elle n'y pouvait parvenir** *she could not succeed in (doing) it* (parvenir à). Page 44, line 26.
131. **Comme tu m'as fait peur** (faire peur à). Page 45, line 21.
132. **nous n'y songeons guère** *we hardly think of it*, i.e., *we hardly give it a thought* (songer à). Page 49, line 15.
133. **Peut-on vous demander** (demander à). Page 49, line 28.
134. **Oserais-je vous demander** (demander à). Page 50, line 30.
135. **Pourquoi leur en veux-tu** (en vouloir à). Page 56, line 7.
136. **nous en tombons amoureux** (tomber amoureux de). Page 57, line 16.
137. **lui répondre** (répondre à). Page 67, line 25.
138. **Je lui demandais** (demander à). Page 70, line 3.
139. **Y répondez-vous** *Do you return them*, i.e., *my sentiments; Do you feel the same way* (répondre à). Page 75, line 22.
140. **où je pourrai vous plaire?** *when I may be pleasing to you*, i.e., *when I may be liked by you* (plaire à). Page 75, line 25.

141. **pour m'en débarrasser** *to get rid of it*, i.e., *to get it out of my system* (se débarrasser de). Page 79, line 12.
142. **Je l'en avais emplie** (emplir de). Page 81, line 10.
143. **je l'en avais parée** (parer de). Page 81, line 11.
144. **j'y avais pris un vif plaisir** (prendre plaisir à). Page 81, line 27.
145. **je n'y touchai point** (toucher à). Page 83, line 3.
146. **à n'en point douter** *to not question it*, i.e., *unquestionably* (douter de). Page 83, line 25.
147. **m'ont volé** (voler à). Page 86, line 30.
148. **elle lui parvint** *it reached him* (parvenir à). Page 91, line 4.
149. **ne nous échappera pas** *will not get away from us* (échapper à). Page 93, line 1.

VI. ADJECTIVE USE OF THE PAST PARTICIPLE OF INTRANSITIVE VERBS

The past participle of intransitive verbs is sometimes used as an adjective following the noun it modifies. Such a construction does not exist in English. It is translated into English by inserting the words *who had* before the past participle, if the noun modified is a person, and by inserting the words *which had* before the past participle, if the noun modified is a thing.

When used absolutely, it is translated by inserting the word *having*. When used absolutely with **aussitôt**, it is translated by inserting the word *had*, by giving **aussitôt** the value of **aussitôt que,** and by inserting the proper subject if necessary.

A. General Use

150. **comme des éclaireurs partis** *like scouts (who had) set out.* Page 15, line 17.
151. **un mort resté sans vengeance** *a dead man (who had) remained unavenged.* Page 17, line 7.
152. **ombre grise dressée sur le ciel brumeux** *gray shadow (which had) arisen against the foggy sky.* Page 20, line 2.
153. **l'abbaye escarpée, poussée là-bas.** Page 20, line 6.
154. **des fusées parties.** Page 20, line 21.
155. **des petits bourgeois devenus guerriers d'occasion** *men of the lower middle class (who had) become temporary warriors.* Page 26, line 8.
156. **la commune demeurée** *the parish (which had) remained.* Page 33, line 13.

157. **les deux paysans . . ., revenus dès l'aube.** Page 38, line 14.
158. **la mousse restée.** Page 40, line 29.
159. **les amis restés.** Page 54, line 14.
160. **une famille anglaise descendue au même hôtel** *an English family (which had) put up at the same hotel.* Page 56, line 30.
161. **une tête venue du ciel.** Page 57, line 6.
162. **de briques rouges devenues noires.** Page 60, line 18.
163. **de sa main restée libre** *with her hand (which had) remained free.* Page 71, line 4.
164. **ma maison pillée et demeurée vide** *my ransacked house (which had) remained empty.* Page 93, line 9.

B. *Absolute Use*

165. **la nuit venue** *night (having) come.* Page 64, line 8.
166. **devenu furieux** *(having) become furious.* Page 65, line 1.
167. **Entré** *(Having) entered.* Page 67, line 14.

C. *With* aussitôt

168. **Aussitôt les derniers élèves sortis** *as soon as the last pupils (had) gone out.* Page 32, line 1.
169. **Aussitôt levé** *As soon as (I had) got up.* Page 61, line 14.
170. **Aussitôt entré** *As soon as (I had) entered.* Page 73, line 12.

VII. TENSE WITH DEPUIS

The present tense with **depuis** is represented in English by the perfect, while the imperfect with **depuis** is represented in English by the pluperfect. Sometimes the progressive form of the perfect and pluperfect are used in English, e.g., sentences 174 and 177.

A. *Present with* depuis

171. **Depuis quand as-tu un pareil découragement?** *Since when have you had such despondency?* i.e., *How long have you been so depressed?* Page 43, line 6.
172. **dont on nous abrutit depuis quelque temps** *with which they have bored us to death for some time.* Page 67, line 1.
173. **lorsque je les sens depuis longtemps près de moi** *when I have felt them near me for a long time.* Page 79, line 21.

174. **Je vous attends depuis plus d'une heure** *I have been waiting for you for more than an hour.* Page 90, line 4.
175. **Et je suis seul . . . depuis trois mois.** Page 94, line 28.

B. Imperfect with depuis

176. **le remuait depuis un mois** *had stirred it up for a month.* Page 26, line 24.
177. **l'attendaient depuis plus de trois heures** *had been waiting for him for more than three hours.* Page 38, line 13.
178. **Depuis dix ans, l'institution Robineau battait.** Page 67, line 7.
179. **comme si je la connaissais depuis dix ans** *as if I had known her for ten years.* Page 72, line 19.
180. **et je passais pour un madré farceur . . . depuis longtemps déjà.** Page 74, line 9.
181. **était amarré depuis le matin** *had been moored since morning.* Page 74, line 19.
182. **Depuis dix ans je rentrais ainsi** *For ten years I had been coming home this way.* Page 82, line 29.
183. **qui m'inquiétait beaucoup depuis cette nuit déplorable** *which had worried me a great deal since that deplorable night.* Page 87, line 13.
184. **J'étais là, certes, depuis plus d'une heure.** Page 89, line 27.

VIII. ÊTRE AS A TENSE AUXILIARY

The compound tenses are formed in French in general with the auxiliary **avoir** and the past participle. However, the compound tenses of all reflexive verbs and of some intransitive verbs (**aller, arriver, descendre, devenir, entrer, monter, mourir, naître, partir, rester, retourner, revenir, sortir, tomber, venir**) are formed in French with the auxiliary **être** and the past participle.

The corresponding compound tenses in English are always formed with the auxiliary *to have*. Accordingly, in this use, the forms of **être** are represented in English by the corresponding forms of *to have*, and never by forms of *to be*.

This construction must not be confused with the passive voice (**être** and the past participle of a transitive verb).

A. Past Indefinite = *I have, you have, etc.* + Past Participle, e.g., sentence 186, or Simple Past Tense, e.g., sentence 185; in Interrogative Sentences: *did I, did you, etc.* + Infinitive, e.g., sentence 187.

185. **sont tombés le vendredi** *fell on Friday.* Page 2, line 13.
186. **se sont tués** *have killed themselves.* Page 6, line 25.
187. **S'est-elle attachée à . . .?** *Did she get attached to . . .?* Page 9, line 20.
188. **est morte** *died.* Page 12, line 4.
189. **se sont réfugiés** *have taken refuge.* Page 16, line 4.
190. **Je suis venu** *I came.* Page 22, line 13.
191. **ça s'est trouvé comme ça** *it just happened that way.* Page 23, line 12.
192. **s'est même enfermé.** Page 30, line 7.
193. **se sont attachés à.** Page 37, line 11.
194. **suis-je entré . . . dans . . .?** *did I go into . . .?* Page 39, line 1.
195. **je suis venu.** Page 42, line 11.
196. **tu y es venu.** Page 43, line 12.
197. **Que s'est-il passé . . .?** *What happened . . .?* Page 45, line 28.
198. **est morte.** Page 46, line 1.
199. **et suis resté.** Page 59, line 12.
200. **est resté.** Page 60, line 4.
201. **m'est arrivé!** *happened to me!* Page 79, line 2.
202. **j'y suis entré** *I came here.* Page 79, line 10.
203. **est devenue** *became.* Page 81, line 7.
204. **est devenue** *has become.* Page 81, line 14.
205. **est arrivé.** Page 86, line 21.
206. **s'est passé.** Page 93, line 12.
207. **sont revenus.** Page 93, line 14.
208. **s'est fait** *happened.* Page 93, line 17.
209. **Je suis venu.** Page 94, line 16.

B. Pluperfect Indicative = *I had, you had, etc.* +
Past Participle

210. **était devenu** *had become.* Page 4, line 26.
211. **était tombé** *had died down.* Page 7, line 27.
212. **était . . .** *had . . .* Page 8, line 3; page 11, line 1 and line 15; page 12, line 31; page 16, line 32; page 30, line 18;

page 34, line 2, line 6 and line 31; page 47, line 2 and line 4; page 61, line 29; etc.

213. **vous vous étiez lavé.** Page 28, line 18.
214. **s'étaient** . . . *had* . . . Page 32, line 2; page 34, line 13.
215. **J'étais monté** *I had come up.* Page 64, line 18.
216. **je m'étais** . . . *I had* . . . Page 81, line 5; page 83, line 22.

 C. Past Anterior = *I had, you had, etc.* + Past Participle

217. **fut sortie** *had gone out.* Page 29, line 1.
218. **fut sorti.** Page 54, line 18.

 D. Future Perfect (with **quand**) = *I have, you have, etc.* + Past
 Participle

219. **quand il sera parti** *when he has left.* Page 65, line 9.

 E. Past Conditional = *I would have, you would have, etc.*
 + Past Participle

220. **ils se seraient guéris** *they would have been cured.* Page 7,
 line 3.
221. **elle n'en serait pas sortie** *she would not have got out of it*
 (i.e., *of jail*). Page 13, line 4.
222. **ça ne serait pas arrivé** *that would not have happened.* Page 28,
 line 18.
223. **Je serais** . . . **mort** *I should have died* . . . Page 45, line 17.

 F. Pluperfect Subjunctive = *I had, you had, etc.* + Past
 Participle

224 **se fût moqué** *had made fun.* Page 3, line 19.
225. **se fût close** *had closed.* Page 86, line 4.

 G. Perfect Infinitive = *having* + Past Participle

226. **Après nous être serré les mains** *After having shaken each
 other's hands*, i.e., *After having shaken hands with each other.*
 Page 55, line 6.

 H. Perfect Participle = *having* + Past Participle

227. **Nous étant retournés** *Having turned around.* Page 15,
 line 18.
228. **étant venue.** Page 45, line 11.
229. **étant tombée.** Page 65, line 16.

IX. USE OF DEFINITE ARTICLE FOR POSSESSIVE ADJECTIVE

With names of parts of the body, the possessive adjective is often replaced in French by the definite article. Where this would cause confusion, the possessor is indicated by the indirect pronoun object.

In these cases in English, the possessive is used which corresponds to the indirect pronoun object used in French, e.g., sentence 230, where it is clear that la bouche means *my mouth* because of the indirect pronoun object me.

230. me mit la bouche   *put my mouth.*   Page 3, line 5.
231. me perça les oreilles   *pierced my ears.*   Page 4, line 22.
232. lui creva la poitrine   *shot a hole in his chest.*   Page 18, line 3.
233. te casser la jambe   *to splinter your leg.*   Page 18, line 10.
234. lui brisa le crâne.   Page 18, line 18.
235. leur arracha les yeux.   Page 18, line 28.
236. qui me couraient censément le long des jambes   *which seemed to run up and down my legs.*   Page 28, line 2; page 38, line 18.
237. si vous vous étiez lavé les pieds   *if you had washed your feet.*   Page 28, line 18.
238. lui jeta dans la figure   *yelled in his face.*   Page 28, line 19.
239. Je lui serrai la main   *I shook his hand.*   Page 40, line 11.
240. elle se couvrait le visage   *she covered her face.*   Page 44, line 30.
241. m'a retourné les idées   *upset my way of thinking.*   Page 45, line 29.
242. vous plantent toujours en pleine figure   *always stick right in your face.*   Page 50, line 16.
243. Après nous être serré les mains   *After having shaken each other's hands.*   Page 55, line 6.
244. pour lui rire au nez   *to laugh in his face.*   Page 56, line 12.
245. lui flottaient dans le dos *fluttered down her neck.* Page 61, line 11.
246. Ça te tire le sang de la gorge   *That will draw the blood from your throat.*   Page 61, line 19.
247. me reste et me restera gravé dans l'âme.   Page 63, line 12.
248. se cassa la jambe   *broke her leg.*   Page 63, line 16.
249. me laver les mains.   Page 63, line 17.
250. me germait dans la tête.   Page 71, line 30.
251. lui enfonçait dans la bouche   *pushed in his mouth.*   Page 77, line 5.

252. **m'accrocha l'œil.** Page 77, line 18.
253. **m'aurait jeté une rage dans le corps** *would have cast anger in my system*, i.e., *would have thrown me into a state of fury, would have infuriated me.*   Page 83, line 1.

X. DEVOIR AS MODAL AUXILIARY

With a following infinitive, **devoir** expresses (a) necessity, (b) conjecture, (c) destiny, (d) obligation.

A. Devoir *Expressing Necessity*

In this use, **devoir** is represented in English by *must* or *to have to*. The past tense is *had to.*

254. **mon père dut payer** *my father had to pay for.*   Page 3, line 28.
255. **que je dois surveiller** *that I must watch over.*   Page 69, line 29.
256. **si je devais, non pas écouter, mais entendre.**   Page 80, line 5.
257. **je dus m'asseoir.**   Page 89, line 24.

B. Devoir *Expressing Conjecture*

In this use, **devoir** is represented in English by *must*. The past tense is *must have.*

258. **Comme il a dû être heureux, et bénir la vie** *How happy he must have been and how he must have blessed life!*   Page 7, line 18.
259. **Tous les noctambules ont dû faire cette remarque.**   Page 82, line 10.
260. **Cette maison doit communiquer.**   Page 92, line 30.

C. Devoir *Expressing Destiny*

In this use, **devoir** is represented in English by the forms of *to be to.*

261. **Son ennemi devait . . . se rendre à pied** *His enemy was to go on foot.*   Page 17, line 32.
262. **devait sauver.**   Page 27, line 6.
263. **Elles devaient être livrées.**   Page 90, line 27.

D. Devoir *Expressing Obligation*

In this use, **devoir** is represented in English by *should, ought to, should have* and *ought to have.*

264. **comme si l'amour n'eût dû frapper que des êtres fins et distingués** *as if love should have struck only refined and genteel beings.*   Page 7, line 28.

XI. IMPERSONAL USE OF RESTER, ARRIVER AND SE PASSER

Rester, arriver, se passer and many other verbs, which generally have a personal subject, are sometimes used impersonally in the third person singular with **il** while the logical subject (sing. or pl.) comes after the verb. In this use, **il** is represented in English by the expletive *there*, and the verb in English is singular or plural according as the logical subject is singular or plural.

The word order may remain the same as in French (e.g., sentence 265) or the logical subject may be made the grammatical subject, with omission of the expletive *there* (e.g., sentence 268).

265. **qu'il reste de rancune** *that there remain any ill-will.* Page 23, line 32.
266. **il m'arriverait . . . un accident** *there would happen to me an accident,* i.e., *something would happen to me.* Page 80, line 6.
267. **qu'il se passait . . . quelque chose d'anormal et d'incompréhensible.** Page 84, line 1.
268. **Il est arrivé . . . un grand malheur** *A great misfortune has taken place.* Page 86, line 21.
269. **qu'il s'est passé . . . quelque chose.** Page 93, line 12.

XII. RECIPROCAL USE OF REFLEXIVE

Sometimes reflexive pronouns have reciprocal force; they are then translated by *each other.*

270. **Ils se tapèrent dans la main** *They slapped each other in the hand.* Page 22, line 28.
271. **Après nous être serré les mains** *After having shaken hands with each other.* Page 55, line 6.
272. **ils se regardèrent** *they looked at each other.* Page 74, line 27.
273. **se promirent le mariage** *promised marriage to each other.* Page 76, line 5.
274. **se tenaient par la taille** *held each other by the waist,* i.e., *had their arms around each other's waist.* Page 77, line 8.
275. **s'embrassèrent.** Page 77, line 9.
276. **se suivaient** *followed one after the other.* Page 88, line 13.

XIII. WORD ORDER WITH COMME, TANT AND QUE

Comme, tant and que are sometimes separated by the verb from the word with which they are grammatically or logically connected. This separation does not generally occur in English.

277. **Comme il a dû être heureux** *How happy he must have been!* Page 7, line 18.
278. **tant il était changé, etc.** *he was so changed, etc.* Page 11, line 2.
279. **tant il parlait rapidement.** Page 28, line 8.
280. **Comme ça répond bien à . . .!** *How well that fulfils . . .!* Page 57, line 11.
281. **comme c'est gentil.** Page 57, line 26.
282. **tant elle inventait de mots inattendus** *she invented so many unexpected words.* Page 58, line 1.
283. **comme ça peut être bête.** Page 59, line 26.
284. **Comme il écrit bien!** Page 73, line 21.
285. **tant elle avait engraissé** *she had grown so fat.* Page 77, line 28.
286. **que les rues de Rouen me semblèrent sinistres, etc.** *how gloomy, . . . the streets of Rouen seemed to me!* Page 91, line 29.

XIV. SUBJUNCTIVE IN NOUN CLAUSES

The subjunctive is used in noun clauses after **vouloir, ordonner, entendre** (implying command), **comprendre** (implying approval), **falloir,** and expressions of fear. It can often be translated into English by the infinitive.

A. *After* vouloir

287. **que voulez-vous que j'en fasse?** *what do you expect me to do with them?* Page 14, line 9.
288. **je ne veux pas que tu aies à, etc.** *I do not want you to have to, etc.* Page 22, line 30.
289. **je ne veux pas qu'il reste de rancune.** Page 23, line 32.
290. **je ne veux pas que tu la manges.** Page 44, line 20.
291. **Vous ne voulez pas que j'aille habiter.** Page 76, line 18.

B. *After* ordonner

292. **J'avais ordonné qu'on prévînt mes gens** *I had ordered my servants to be notified.* Page 86, line 17.

C. *After* entendre (*Implying Command*)

293. **j'entends que tu signes** *I expect you to sign.* Page 44, line 17.

D. *After* comprendre (*Implying Approval*)

294. **je comprends qu'on travaille** *I understand that one should work.* Page 41, line 11.

E. *After* falloir

295. **Il ne faut pas . . . que le médecin et le pharmacien soient ennemis** *It is necessary for the doctor and the druggist not to be enemies*, i.e., *The doctor and the druggist should not be enemies.* Page 14, line 12.
296. **il faut qu'il m'invite** *he should invite me.* Page 73, line 25.

F. *After Expressions of Fear*

297. **la crainte que des choses pareilles recommençassent** *the fear of such things beginning again.* Page 94, line 15.

XV. SUBJUNCTIVE IN ADVERBIAL CLAUSES

The subjunctive is used after the following subordinating conjunctions: **bien que** (concession), **afin que** and **pour que** (purpose), (**attendre**) **que** and **jusqu'à ce que** (time), and **sans que** (denial).

A. *After* bien que

298. **Bien que cette manière de voir ne fût pas contestable** *Although this way of looking at things was not debatable.* Page 6, line 13.
299. **bien qu'elle insistât.** Page 11, line 28.

B. *After* afin que *and* pour que

300. **afin qu'il ne portât pas le deuil** *so that he should not wear mourning.* Page 17, line 7.
301. **pour que personne ne sorte de la mairie.** Page 33, line 19.

C. *After* (attendre) que *and* jusqu'à ce que

302. **avait attendu que sa femme en eût** *had waited until his wife had some* (i.e., *varicose veins*). Page 27, line 21.
303. **jusqu'à ce que celle du vestibule que j'avais ouverte moi-même, insensé, pour ce départ, se fût close, enfin, la dernière.** This is a very loosely constructed sentence and reveals the

disjointed thinking of the speaker; **insensé** modifies **j'** (**je**) and **dernière** modifies **celle**. Page 86, line 4.

D. *After* sans que

Sans que and the subjunctive are always translated into English by *without* + gerund.

304. **sans qu'il daignât** *without his condescending.* Page 11, line 8.
305. **sans que rien fût changé** *without anything being changed.* Page 34, line 11.
306. **sans qu'aucune gloire illuminât leurs yeux.** Page 36, line 28.
307. **sans qu'on puisse** *without one being able to.* Page 60, line 2.
308. **sans que la figure de la mère Clochette ne se retrace.** Page 60, line 7.
309. **sans qu'on eût jamais compris** *without anyone ever having understood.* Page 62, line 2.
310. **sans que jamais la moindre inquiétude m'eût effleuré** *without the slightest anxiety ever having fazed me.* Page 82, line 30.

XVI. SUBJUNCTIVE IN ADJECTIVE CLAUSES

The subjunctive is used after **le seul**, after an adjective in the superlative degree and after a general negation.

311. **le seul amour profond que j'aie rencontré** *the only (case of) deep love that I have encountered.* Page 14, line 16.
312. **le plus terrible des bandits dont on ait gardé le souvenir.** Page 18, line 34.
313. **je n'ai pas de diplôme qui me permette** *I don't have (the kind of) a diploma which would permit me.* Page 70, line 9.

XVII. SUBJUNCTIVE IN CONDITIONAL SENTENCES

A. The Imperfect Subjunctive, Inverted and without **si**, *Is Sometimes Used Instead of the Imperfect Indicative with* **si**.

314. **fût-il mince comme un fil** *even if it were as thin as a thread.* Page 82, line 11.

B. *The Pluperfect Subjunctive, with* si *or* **comme si,** *Is Sometimes Used Instead of the Pluperfect Indicative.*

315. **comme s'il se fût moqué de** *as if he had made fun of.* Page 3, line 19.
316. **comme si l'amour n'eût dû frapper que** *as if love should have struck only.* Page 7, line 28.
317. **comme si elle eût ignoré.** Page 34, line 24.
318. **comme s'il eût fui.** Page 38, line 11.
319. **comme si j'eusse été.** Page 44, line 12.
320. **comme si on eût pu.** Page 47, line 21.
321. **comme si elle eût été fatiguée déjà.** Page 71, line 2.
322. **comme si on eût secoué, etc.** Page 83, line 29.

C. *The Pluperfect Subjunctive Is Sometimes Used Instead of the Past Conditional*

323. **comme ils l'eussent fait** *as they would have done.* Page 68, line 2.

XVIII. SUBJUNCTIVE IN THE MAIN CLAUSE

The subjunctive is sometimes used in the main clause. It can often be translated into English by a sentence introduced by *let* (negative *don't let*).

324. **Que je te voie causer avec les va-nu-pieds!** *Don't let me see you talking with ragamuffins!* Page 9, line 2.
325. **vive la patrie!** *long live our country!* or *hurrah for our country!* Watchword of the French Revolution, while the royalist cry was **vive le roi.** Page 27, line 14.
326. **vive la République!** *long live the Republic!* or *hurrah for the Republic!* Page 27, line 28; page 28, line 6; page 30, line 21.
327. **Périssent ainsi tous les traîtres!** *Let all traitors perish thus!* Page 38, line 6.
328. **que cela vous soit un enseignement** *let that be a lesson to you.* Page 53, line 14.
329. **qu'il ne vous trouve pas** *don't let him find you.* Page 65, line 2.

XIX. REDUNDANT CONSTRUCTION

Sometimes a noun or a disjunctive pronoun is added to a sentence to intensify or clarify the meaning of a possessive adjective, e.g., sentences 330 and 332; of a pronoun subject, e.g., sentences 331 and 333; or of a pronoun object, e.g., sentences 334 and 337.

330. **mon étoile à moi** *my star* (**à moi** refers to **mon**). Page 2, line 20.

331. **qu'il était semblable à la foudre, cet amour** *that this (kind of) love was like lightning* (**cet amour** refers to **il**). Page 6, line 17.

332. **sa dernière volonté, à cette femme** (**à cette femme** refers to **sa**). Page 13, line 18.

333. **Mais elle a laissé ici sa voiture, cette . . . cette femme** (**cette . . . cette femme** refers to **elle**). Page 14, line 1.

334. **Qu'est-ce que vous en faites de cette voiture?** *What are you doing with it, with this wagon?* (**de cette voiture** refers to **en**). Page 14, line 2.

335. **Et il en écrivait des lettres de recommandation** (**des lettres de recommandation** refers to **en**). Page 48, line 15.

336. **comme ça peut être bête quelquefois, une femme** *what a stupid thing a woman can be* (**une femme** refers to **ça**); **ça** generally refers only to things; its use here implies great scorn. Page 59, line 27.

337. **lui vint à elle** (**à elle** refers to **lui**). Page 76, line 8.

338. **Que lui importe à lui?** (**à lui** refers to **lui**). Page 94, line 6.

XX. ÊTRE USED FOR **ALLER**

The past tenses of **être** are sometimes used instead of **aller,** especially in colloquial French.

339. **j'ai été = je suis allé** *I went.* Page 17, line 26.

340. **s'en fut = s'en alla.** Page 48, line 24.

341. **avait été reprendre = était allé reprendre** *had gone to get back.* Page 62, line 4.

342. **après avoir été cueillir = après être allé cueillir** *after having gone to gather.* Page 62, line 16.

343. **On l'avait été chercher = On était allé le chercher** *They had sent for him.* Page 63, line 8.

XXI. USE OF ADJECTIVE WITH NOUN UNDERSTOOD

The noun modified by an adjective is sometimes understood in French, while in English it is replaced by the pronoun *one*.

344. **la mauvaise** *the bad one* **(la mauvaise face).** Page 45, line 27.

345. **la bonne (la bonne face).** Page 45, line 28.

346. **une nouvelle** *a new one* **(une nouvelle pipe).** Page 46, line 7.

347. **une seule** *a single one* **(une seule feuille de papier).** Page 48, line 13.

348. **la grande (la grande jambe).** Page 62, line 23.

349. **les voisines** *the ones next door* **(les maisons voisines).** Page 92, line 31.

VOCABULARY

A

a *3d sing. pres. ind. of* **avoir**

à to, at, for, on, in

abandonner to give up, abandon

abasourdi, –e astounded, dumbfounded

abattre to bring down, kill; **s'—** to fall

abbaye *f.* abbey

abbé *m.* abbot, priest; **monsieur l'—** father

abîme *m.* abyss

abord *m.* approach; **d'—** at first; **tout d'—** at the very first

aborder to approach

abri *m.* shelter, protection; *see* **mettre**

abrutir de to stultify with, bore to death with

absolument absolutely, completely

absorber to imbibe

accepter to accept

accident *m.* accident, mishap

accompagner to accompany, go with; **accompagné de** accompanied by

accomplir to accomplish, carry out; **s'—** to be accomplished

accorder to grant

accouder: s'— to lean on one's elbows; **accoudé, –e** leaning

accourir to run up, gather

accourut *3d sing. past def. of* **accourir**

accoutumé, –e accustomed

accrocher to catch; hang; hang up

accroupi, –e crouching down, cowering

accusateur *m.* accuser

accuser to accuse

acharné, –e mad, furious, unyielding

acheminer: s'— to proceed, make one's way

acheter to buy

achèterons *1st pl. fut. of* **acheter**

acheteur *m.* purchaser, customer

achever to finish, end; dispatch, put an end to

achèverai *1st sing. fut. of* **achever**

acte *m.* act, deed

acti–f, –ve active

action *f.* action, deed, act; **—s de grâce** thanksgiving

activement actively, vigorously

admirable admirable

admiration *f.* admiration

admirer to admire

adorer to adore, worship

adresser: s'— à to be directed to *or* at

adroit, –e skilful, clever

advenir to happen

adversaire *m.* foe, opponent, adversary

adverse opposing

advint *3d sing. past def. of* **advenir**

aérien, –ne aërial

affaiblir to weaken

affaire *f.* matter; deal, proposition; dealing; case, business matter

affection *f.* affection, love; *see* **prendre**

affirmer to state, declare, declare to be, affirm

affolant, –e maddening

affoler to drive mad; **s'——** to become deranged; **affolé, –e** losing one's presence of mind, dumbfounded

afin: —— de in order to; **—— que** so that, in order that

Afrique *f.* Africa

âge *m.* age; **moyen ——** Middle Ages; *see* **avoir**

agent *m.* policeman, officer

agir to act; **il s'agit de** it is a question of

agitation *f.* agitation, stir, disturbance; swaying

agiter to shake, wave, disturb

agoniser (de) to be dying (with), keep on dying

agrandir to enlarge; **agrandi, –e** wide open

agriculture *f.* agriculture

ah ah!, oh!

ahuri, –e astounded, flabbergasted

ai *1st sing. pres. ind. of* **avoir**

aide *m.* assistant; **—— instituteur** assistant teacher

aie *1st sing. pres. subj. of* **avoir**

aies *2d sing. pres. subj. of* **avoir**

aigreur *f.* bitterness

aigu, aiguë sharp, shrill; sharp-pointed

aiguille (u *sounded*) *f.* needle

aile *f.* wing, fan

aille *1st sing. pres. subj. of* **aller**

ailleurs elsewhere, anywhere else; **d'——** besides, moreover; at any rate

aimable amiable, agreeable

aimer to love, be *or* fall in love (with); to like; **être aimé de** to be loved by

aîné, –e elder

ainsi thus, so, this way; **—— que** as well as; like, as; **pour —— dire** so to speak, as it were; *see* **être**

air *m.* air, look, manner; fresh air; tune; **d'un —— important** with a look of importance; **d'un —— ravi** with a delighted look; **d'un —— sec** in a cold manner; *see* **avoir, prendre**

ait *3d sing. pres. subj. of* **avoir**

Aïtône: forêt d'—— *Picturesque forest in the interior of Corsica*

ajouter to add

Albertacce *Small town in the center of Corsica*

allécher to allure

allée *f.* walk

allègre brisk; *see* **pas**

aller to go, go ahead; walk; progress; suit; come along; **s'en——** to go away, leave; **—— de l'avant** to go ahead; **—— bien** to be well, get along; **—— chercher** to go and get, send for; **—— loin** to go far, do much; **—— comme sur des roulettes** to go rolling along; **cela** *or* **ça me va** that suits me; **ça va** all right; are you getting along all right?; **qui va là** who goes there, who is there?; *see* **laisser**

allié *m.* ally, kinsman

allonger to stretch out; **s'——** to be stretched out

allumer to light, light up; **s'—** to be lighted up

allure *f.* manner, bearing

alors then; **— que** whereas

alourdissant, –e deadening

amant *m.* lover

amarre *f.* mooring

amarrer to moor

ambition *f.* ambition

ambitionner to aspire to, be ambitious of

ambulance *f.* field-hospital

ambulant, –e rolling, itinerant

âme *f.* soul, heart; *see* **état**

amener to bring

américain, –e American

Amérique *f.* America

ami *m.* friend

amitié *f.* friendship; *see* **commerce**

amour *m.* love, love affair

amoureu–x, –se *m. & f.* lover; *adj.* **— (de)** in love (with); *see* **devenir**

ampleur *f.* breadth

amuser to amuse; **s'—** to amuse oneself

an *m.* year; year of age; *see* **avoir**

ancêtre *m.* ancestor

ancien, –ne former, old

ancre *f.* anchor; **à l'—** at anchor

âne *m.* donkey; *see* **promenade**

anéantir to crush

ange *m.* angel

anglais, –e English; **Anglais** *m.* Englishman; **Anglaise** *f.* English girl, English woman

animal *m.* animal, beast

année *f.* year; **— bissextile** leap-year; *see* **fin**

annoncer to announce; **s'—** to promise to be

anormal, –e abnormal, extremely unusual

antiquaire *m.* antiquary

antique old, ancient

anxieusement anxiously

anxieu–x, –se uneasy, disturbed, anxious

apaiser to calm, appease

apercevoir to see, notice

aperçois *1st sing. pres. ind. of* **apercevoir**

aperçu, –e *past participle of* **apercevoir**

aperçûmes *1st pl. past def. of* **apercevoir**

aperçus *1st sing. past def. of* **apercevoir**

aperçut *3d sing. past def. of* **apercevoir**

apothéose *f.* apotheosis, splendor

apparaissaient *3d pl. imperf. ind. of* **apparaître**

apparaissait *3d sing. imperf. ind. of* **apparaître**

apparaître to appear

appartement *m.* apartment, suite

appartenir to belong

appartenu, –e *past participle of* **appartenir**

appartiendraient *3d pl. cond. of* **appartenir**

appartiendrait *3d sing. cond. of* **appartenir**

appartient *3d sing. pres. ind. of* **appartenir**

apparut *3d sing. past def. of* **apparaître**

appeler to call, call upon

applaudissement *m.* applause, cheering

apporter to bring

apprendre (à) to inform, inform of, teach; learn, learn of

appris *1st sing. past def. of* **apprendre; appris, -e** *past participle of* **apprendre**

approche *f.* approach

approcher (de) to come near, approach; **s'—** (de) to come near *or* nearer (to)

appui *m.* support

appuyer to rest, press; **— sur** to stress, emphasize; rest on; **s'— sur** to depend on, be based on; **appuyé, -e** leaning

après after; afterwards

après-midi *f.* afternoon

Arabe *m.* Arab

arbitre *m.* judge, referee, arbitrator

arbre *m.* tree

archange (ch = k) *m.* archangel

archet *m.* bow

archevêque (ch = sh) *m.* archbishop

architecture (ch = sh) *f.* architecture

ardent, -e ardent

ardoise *f.* slate

argent *m.* money; silver

argentin, -e silvery

argot *m.* slang

aride dry, arid

arme *f.* weapon, arm; **en —s** in arms, under arms

armée *f.* army; *see* **corps**

armer to cock; **— (de)** to arm (with)

armoire *f.* closet, chest of drawers

arqué, -e bent; **— en voûte** bent over in an arch, arched

arracher to tear out, tear off

arrêté *m.* decree

arrêter to arrest; determine, settle; **s'—** to stop

arrière: *see* **banc**

arrivée *f.* arrival

arriver to arrive; happen; **— à** to reach; **— sur** to come down upon

arrondi, -e rounded

arrondissement *m.* district (*division of a department*)

arrosage *m.* sprinkling; *see* **tonneau**

artère *f.* artery

artichaut *m.* artichoke

artifice *m.* art; *see* **feu**

as *2d sing. pres. ind. of* **avoir**

ascension *f.* climbing

asile *m.* place of refuge, asylum

asperger to sprinkle

aspirer to suck in

assassin *m.* murderer, assassin

assassinat *m.* murder

assaut *m.* attack; *see* **donner**

asseoir: s'— to sit down

asseyant *pres. participle of* **asseoir**

assez enough; fairly, rather, somewhat

assis, -e seated; *past participle of* **asseoir; assis** *1st sing. past def. of* **asseoir**

assister à to be present at

assit *3d sing. past def. of* **asseoir**

assommer to knock down, beat

assourdissant, -e deafening

assurément assuredly, to be sure

assurer to assure; **— que non** to assure not

âtre *m.* hearth, fire-place

atroce frightful, atrocious

attacher to attach, fasten; **s'— à** to get attached to, be attached to, take hold of

attardé, -e belated

atteignîmes *1st pl. past def. of* **atteindre**

atteindre to reach; **être atteint de** to be afflicted with

atteint, -e *past participle of* **atteindre**

attendre to wait, wait for, wait until, await, expect; **— que** to wait until; **s'— à** to expect, expect to

attendrir: s'— to be moved to pity

attente *f.* expectation, hope

attention *f.* attention; *see* **faire**

attentivement attentively

attitude *f.* attitude

attrister to sadden, make sad

au = à + le

aube *f.* dawn

aucun, -e no, not any, any; **ne . . . —** no, not any

audace *f.* boldness

au-dessous de below

au-dessus (de) above

au-devant de to meet

audience *f.* interview

augmenter to increase

aujourd'hui today

auparavant before

auprès de to the side of

aurai *1st sing. fut. ind. of* **avoir**

auraient *3d pl. cond. of* **avoir**

aurait *3d sing. cond. of* **avoir**

aurore *f.* dawn

aussi also, too; **— . . . que** as . . . as

aussitôt at once, immediately; as soon as; **tout —** right away; **— que** as soon as

autant as much; **— de** as many, so many, just as many; **tout — de** just as many; **— que** as far as

auteur *m.* author, (one who was the) cause

automne (mn = n) *m.* autumn, fall

autorité *f.* authority

autour around, all around; **— de** around; **tout — de** all around, throughout

autre other; **nous —s** we; **— . . . que** other . . . than; *see* **chose**

autrefois formerly

autrement otherwise; differently

auvent *m.* shutter (with slats); **à —s clos** with closed shutters

aux = à + les

auxquelles = à + lesquelles; *see* **lequel**

avancer to advance, go ahead; put forth; **s'—** to come up, advance

avant before; **— de + inf.** before; *see* **aller**

avantage *m.* advantage

avarié, -e damaged

avec with

aventure *f.* adventure; **par — parlementaire** by a parliamentary accident

avenue *f.* avenue, walk

averse *f.* downpour, shower

avidement greedily

avis *m.* opinion

aviser to take steps

avocat *m.* lawyer

avoine *f.* oat, spike of oats

avoir to have; get; **— à** to have to; **quel âge as-tu** how old are you?; **— l'air** to look; **— l'air de** to look like; seem to; **— . . . ans** to be . . . years old; **— besoin de** to need; **— le bras long** to have influence; **— connaissance de** to know of; **— faim** to be hungry; — **froid** to be cold; — **un geste** to make a gesture; — **grand'peur de** to be very much afraid of; — **des haut-le-cœur** to be nauseated, become ill; — **lieu** to take place; — **un moment de sursaut** to be startled for a moment; — **peur (de)** to be afraid (of); — **raison** to be right; — **une révolte** to rebel; — **soif** to be thirsty; **ne pas — le sou** to have no money; — **tort** to be wrong, make a mistake; **il y a** there is, there are; ago; **qu'est-ce que j'ai** what is the matter with me?; **ce que j'ai eu** what was the matter with me

avouer to confess

Avranches *Large city and port east of Mont-Saint-Michel.*

ayant *pres. participle of* **avoir**

B

bac *m.* ferry; ferry boat

bachot *m.* bachelor's degree (*students' slang*); *see* **passer**

bagne *m.* convict-prison

bahut *m.* chest

baie *f.* bay

baigner (de) to bathe (with), immerse (with)

bain *m.* bath, bathing

baiser to kiss; *m.* kiss; kissing

baisser to lower

balai *m.* broom; *see* **manche**

balance *f.* scales

balancer: se — to rock, wave

balayeur *m.* street-cleaner

balbutier (t = ss) to stammer

baleine *f.* rib (of an umbrella)

balle *f.* bullet; ball

banal, -e commonplace

banc *m.* bank; bench, seat; — **d'arrière** rear seat

bandit *m.* bandit

bandoulière *f.* shoulder belt; **en —** slung over the shoulder

banquet *m.* banquet

banquette *f.* bench

baptiser (p *silent*) to nickname

baragouiner to jabber

barbe *f.* beard

barbu, -e bearded, with a beard

bardé, -e de bristling with

barque *f.* boat; *see* **promenade**

barricader to barricade

barrière *f.* gate

bas *m.* bottom; stocking; *adv.* **plus —** lower down; **tout —** in a very low voice *or* tone; *adj.* **bas, -se** low; *see* **haut**

Bas-Normand *m.* inhabitant of Lower Normandy

Basse-Normandie *f.* Lower Normandy (*section of Normandy along the English Channel; its capital was Caen*)

bataille *f.* battle

bataillon *m.* battalion

bateau *m.* boat

bâtiment *m.* building; ship; — **communal** town-hall

bâton *m.* stick, staff

battant *m.* door (*one of the doors of a double door*)

battement *m.* beating, clapping

battre (de) to beat (with); — **des mains** to clap one's hands; — **le rappel** to beat the call to arms; — **en retraite** to beat a retreat

bavard, -e talkative, garrulous

beau, bel, belle beautiful, fine, handsome

beaucoup (de) much, very much, many

beauté *f.* beauty

bec (c *sounded*) *m.* beak; — de gaz burner (of a gas light)

bedeau *m.* parish servant, beadle

bégayer to stammer

belle *f. of* beau

bénir to bless

béquille *f.* crutch

berge *f.* bank (of a river)

bergère *f.* easy-chair (*with high sides*), wing chair

besogne *f.* work, job

besoin *m.* need, want, urge; *see* avoir

bête *f.* animal, beast; *adj.* stupid

bêtise *f.* folly, nonsense

beuglement *m.* bellowing

beugler to bellow

beurre *m.* butter

bibelot *m.* knick-knack, trinket

bien well, easily, much, quite; surely; very; indeed; — de + *art.* many; — que although; si — que so that, with the result that; très — all right; —s *m. pl.* property

bien-aimé *m.* sweetheart, beloved

bientôt soon

bienveillant, —e good-natured, kindly

bijou *m.* jewel

billard *m.* billiard; *see* joueur

bille *f.* marble

biscuit *m.* cracker

bissextil, —e (l *not liquid*) bissextile; *see* année

bizarre odd, strange

blague *f.* humbug, fake, "kidding"

blan-c, —che white

blanchisseuse *f.* laundress

blé *m.* wheat, spike of wheat

blessé *m.* wounded man

blessure *f.* wound

bleu, —e blue

blond, —e blonde; —e *f.* blonde

blondine *f.* cute little blonde

bocal *m.* jar, bottle

bock *m.* glass of beer, beer (*half pint glass*)

bockeur *m.* habitual beer drinker

boire to drink, drink up; — un coup to have a drink

bois *m.* wood; *1st sing. pres. ind. of* boire

boit *3d sing. pres. ind. of* boire

boîte *f.* box; can; — à conserves can, tin can

boiter to limp

boiteu-x, —se lame, limping

bon, —ne good, kind; pleasant; mon bon my boy; à quoi bon . . . what is the use of . . .?

Bonaparte *m.* statue of Bonaparte

bonbon *m.* candy

bond *m.* leap; d'un — with a leap

bondir (de) to leap (with)

bonheur *m.* happiness, good fortune; *see* porter

bonhomme *m.* fellow

bonjour good morning

bonne *f.* maid, nurse

bonnet *m.* cap; bonnet; — grec cap with tassel

bonnetier *m.* haberdasher

bord *m.* edge

botte *f.* bundle of hay; boot; sous ta — under your heel

bottier *m.* boot-maker

bottine *f.* shoe (*high*)

bouche *f.* mouth

boucher *m.* butcher

boue *f.* mud
bouée *f.* buoy
bouffée *f.* puff
bouffi, –e puffed up, bloated
bouger to budge, stir
bougie *f.* candle
Bouilhet (lh = *liquid* ll), Louis
  *French poet and dramatist
  (1822–1869); friend of Flaubert and Maupassant*
boulanger *m.* baker
boulette *f.* meat ball; — de
  chair à saucisse sausage meat
  ball
boulevard *m.* boulevard
bouleversement *m.* agitation
bouleverser to upset, agitate,
  perturb
boum boom!
bouquet *m.* bunch
bourbeu-x, –se miry
bourdonnement *m.* humming,
  buzzing
bourg *m.* town
bourgeois *m.* member of the
  middle class; un petit — a
  youngster of the middle class;
  petits — men of the lower
  middle class
bout *m.* end; tip; bit; au — de
  at the end of, after; à — de
  bras out; as high as his arm
  could reach; aux —s de cuir
  verni with patent leather tips;
  à — portant point blank;
  — de sommeil doze
boutique *f.* shop, store; de —
  en — from shop to shop
bouton *m.* button; à —s d'or
  with gold buttons
braillard, –e obstreperous
branche *f.* branch
braquer sur to level at, point at
bras *m.* arm; au — de on the
  arm of; entre les — de in

the arms of; *see* avoir, bout,
  embrasser
brasserie *f.* café, beerhouse
brave good; brave
braver to brave, defy, face
bredouiller to sputter
brigand *m.* thief, robber
brillant, –e shining
briller to shine, sparkle
brique *f.* brick
briser to break, crush, shatter
brocanteur *m.* second-hand
  dealer
brocanteuse *f.* second-hand
  dealer (*woman*)
brosse *f.* brush
brouter to graze, browse
broyer to crush, grind up
bruit *m.* noise
brûler to burn; brûlant, –e
  sizzling
brume *f.* mist, fog
brumeu-x, –se foggy, misty
brusquement suddenly, bluntly
brutalement churlishly, gruffly
brute *f.* blockhead, fool
bu, –e *past participle of* boire
buée *f.* vapor, mist
bureau *m.* office; desk
burlesque burlesque
bus *1st sing. past def. of* boire
buste *m.* bust
but *m.* object, purpose; *3d
  sing. past def. of* boire
buvant *pres. participle of* boire
buveur *m.* drinker

C

ç' *used for* ce *before the vowel* a
ça that; *see* pourquoi, sans
çà: ah — say!, see here!
cabane *f.* cabin, shed
cabinet *m.* office
caboche *f.* pate, noddle; — de
  déshéritée derelict brain

cacher to hide; **se —** to hide, hide oneself

cacheter to seal

cadet, -te younger

café *m.* café, restaurant; **— de Médicis** *A restaurant in the Latin Quarter of Paris near the Sorbonne; see* **vie**

cage *f.* cage; **en —** in a cage

calme calm, quiet

calmer to calm, quiet

camarade *m.* comrade, companion

camée *m.* cameo

campagnard *m.* peasant

campagne *f.* country; campaign; *see* **demeure**

canapé *m.* sofa

Cancale *Small town on the English Channel a few miles east of Saint-Malo. It is west of and across the bay from Mont-Saint-Michel*

candide candid, sincere

Canneville *Name of a town, probably invented by Maupassant*

canon *m.* barrel; **— de fusil** barrel of a gun

canot *m.* rowboat

canoter to go boating, to canoe

caoutchouc (*final* c *silent*) *m.* rubber

capable capable

capitaine *m.* captain

capitale *f.* capital (*city*)

capiteu-x, -se strong

car *conj.* for

caraco *m.* loose jacket (with sleeves)

cardin-al, -aux *m.* cardinal

caresse *f.* caress

caresser to fondle, caress

carnassière *f.* game-bag

carotte *f.* carrot

carreau *m.* window-pane

carrière *f.* career

cartouchière *f.* cartridge-box

cas *m.* case; **dans mon —** like me

caserne *f.* barracks

casino *m.* dance-hall

casser to break, splinter; expel; **— de son grade** to reduce to the rank of private

catacombes *f. pl.* catacombs (*underground galleries with tombs on the sides*)

catastrophe *f.* catastrophe, calamity

cauchemar *m.* nightmare

cause *f.* cause, case; **à — de** on account of, because of

causer to talk, chat

causerie *f.* talk, chat

cauteleu-x, -se crafty, wily

cavalerie *f.* cavalry

cave *f.* cellar

caverne *f.* cavern, hollow

ce (**cet, cette**; *pl.* **ces**) this, that, these, those; **ce ... -là** that; **ces ... -là** those; **ce** it, this; he, she, they; *see* **être, que, qui**

céder to give up, transfer

ceinture *f.* belt

cela that

célèbre famous

celle *f. of* **celui**

celui (**celle**; *m. pl.* **ceux**) that, the one; **celui-là** that one; **celui que** (*or* **qu'**) he whom, the one whom; **celui qui** he who, the one who; *see* **panier**

censément as it seemed, supposedly

cent hundred, a hundred

centaine *f.* about a hundred; **à quelques —s de mètres** a few hundred meters away

centime *m.* *The hundreth part of a franc*

central, -e central, main, head

centre *m.* center

cependant however; meanwhile

cérémonieu-x, -se ceremonious, formal

certain, -e certain

certainement surely, certainly

certes certainly

ces *m. & f. pl. of* **ce**

cesse *f.* ceasing; **sans —** constantly, always

cesser to stop, cease

cet *used for* **ce** *before a noun beginning with a vowel or* h *mute*

cette *f. of* **ce**

ceux *m. pl. of* **celui**

chacun, -e each, each one

chagrin *m.* sorrow, grief; misfortune

chair *f.* flesh, meat; *see* **boulette**

chaise *f.* chair; **— de paille** rush-bottomed chair

châle *m.* shawl

chaleur *f.* heat; fire; *see* **faire**

chambre *f.* room, bed-room; *see* **robe, valet**

chameau *m.* camel

champ *m.* field; **aux —s** in the country; *see* **chemin**

champagne *m.* champagne

champêtre rural

Champs-Élysées *m. pl. Famous avenue in Paris running between two famous squares, the Place de l'Étoile and the Place de la Concorde*

chance *f.* chance; luck; **une fière —** a fine piece of luck

chanceler to stagger, reel

chancelle *3d sing. pres. ind. of* **chanceler**

chandelle *f.* candle

changer to change; **se —** to change one's clothes

chanter to sing

chape *f.* cope (*church vestment*)

chapeau *m.* hat

chapelier *m.* hatter

chaque each

charbon *m.* coal, piece of coal

charge *f.* charge

charger (de) to entrust (with); load; **se — de** to take charge of, take care of

charmant, -e charming, lovely

charme *m.* charm, grace

charretier *m.* cart-driver

chasse *f.* hunting; hunting-season; *see* **fusil, partie**

chasser to drive out, expel; chase, hunt

chasseur *m.* hunter

chasuble *f.* chasuble (*church vestment*)

château *m.* castle, chateau

chaud, -e warm, hot

chaudement warmly

chauffer to heat

chaufferette *f.* foot-stove

chaumière *f.* thatched cottage

chaussée *f.* highway, road, street

chaussure *f.* shoe, slipper, shoes

chauve bald, bald-headed

chavirer to upset, flop

chef (f *sounded*) *m.* chief, leader; **— d'orchestre** orchestra leader

chef-d'œuvre (f *silent*) *m.* master-piece

chef-lieu (f *sounded*) *m.* county-seat

chemin *m.* road, highway; **le — de** the road to; **le — des champs** the road to the country; **— de fer** railroad

cheminée *f.* fire-place

chemise *f.* shirt

chêne *m.* oak, oak-tree

cher, chère dear; **mon cher** my friend; *adv.* **cher** dearly

chercher to seek, look for, try to find, get; *see* **aller, envoyer**

chérir to cherish

chev-al, -aux *m.* horse; *see* **métier, voiture**

chevalier *m.* knight

chevelure *f.* hair, head of hair

cheveu *m.* hair; **—x** *m. pl.* hair, hairs; **à —x blancs** with white hair

chèvre *f.* goat

chez at *or* to the home of, at the store of, in the school of, to the office of; with; **— Bignon** at Bignon's; **— elle** home; **— lui** at *or* to his store; **— moi** home, at home, at my home, in my home, to my home; **— qui** into whose stores; **— Tortoni** at Tortoni's; **— vous** at your home; **jusque — vous** as far as your house; *see* **sortir**

chicani-er, -ère cavilling, quarrelsome

chien *m.* dog; *see* **nom**

choisir to choose, pick out

chose *f.* thing, affair; case; **autre —** anything else, something else; **pas autre —** nothing else; **de —s et d'autres** of one thing and another; **quelque —** (**de** + *adj.*) something, anything

choux *m.* cabbage

Christ (ch = k; st *sounded*) *m.* crucifix, sculptured figure of Christ on the cross

chute *f.* fall

cidre *m.* cider

ciel *m.* sky, heaven

cigarette *f.* cigarette

cime *f.* tree-top

cimetière *m.* cemetery

cinq five

cinquante fifty

cinquante-cinq fifty-five

cinquième fifth

Cinto: *see* **Monte Cinto**

circonstance *f.* circumstance, occasion

circuler to move about

ciseler to chisel, sculpture, carve

citadelle *f.* citadel, stronghold

cité *f.* city

citer to mention

clair *m.* light; **— de lune** moon-light; *adj.* **clair, -e** clear, light-colored; bright

clairsemé, -e thinly-scattered

clapot *m.* splash

claquer to clatter

classe *f.* class

clause *f.* clause

clef (f *silent*) *f.* key

clergé *m.* clergy

client *m.* customer

cliente *f.* patient (*woman*); customer (*woman*)

cloaque *m.* sewer

cloche *f.* bell, church bell

clocher *m.* steeple

clocheton *m.* pinnacle; bell-turret

cloison *f.* partition, wall

clore to close; **se —** to close, be closed

clos, -e closed; *past participle of* **clore**

clôture *f.* enclosure, fencing; *see* **mur**

clouer to nail, pin down

cocher *m.* coachman, driver; **— de fiacre** cabman, cabby

coco *m.* licorice water (*a popular drink some years ago in France*)

cœur *m.* heart; bosom; à plein — with all her heart; de tout mon — with all my heart

coffre *m.* chest

coiffé, –e covered with; wearing (on the head)

coiffeur *m.* hair-dresser, barber

coin *m.* corner

coïncidence *f.* coincidence

coïncider to coincide

col *m.* collar

colère *f.* anger, fit of anger; *adj.* angry

collège *m.* high school (*departmental and national*)

collègue *m.* colleague

coller to press closely

collet *m.* collar; au — by the collar

colonel *m.* colonel

coloni–al, –ale; *m. pl.* –aux colonial, from the colonies

colonne *f.* column

colorer to color

colossal, –e colossal, gigantic

colza *m.* colza, field-cabbage

combattre to combat, oppose

combien how, how much

combinaison *f.* arrangement

comète *f.* comet

comique comical, funny

commandant *m.* major

commander to order, command

comme like, as, as a; as it were; as if; how!; — si as if

commencer to begin

comment how; *see* **expliquer**

commenter to criticize

commerçant *m.* merchant

commerce *m.* trade, contact, exchange; un — d'amitié friendly relations

commettre to commit

commis, –e *past participle of* **commettre**

commissaire *m.* superintendent, commissioner

commission *f.* errand, commission

commode easy

communal, –e *adj.* town; *see* **bâtiment**

commune *f.* township, parish; **Commune** *f.* *A separate socialist government which in a civil war drove the government of the Third Republic out of Paris to Versailles from March to May, 1871*

communication *f.* communication

communiquer to communicate, transmit

comparaison *f.* simile

compatriote *f.* fellow-countrywoman

compétent, –e proper

complètement completely, entirely

compléter to complete, finish

complice *m.* accomplice

compliment *m.* compliment, civility

compliqué, –e complex; peu — simple

comprenais *1st sing. imperf. ind. of* **comprendre**

comprenant *pres. participle of* **comprendre**

comprendre to understand

comprends *1st & 2d sing. pres. ind. of* **comprendre**

comprenez *2d pl. pres. ind. of* **comprendre**

compris *1st sing. past def. of* **comprendre**; **compris, –e** *past participle of* **comprendre**

comprit *3d sing. past def. of* **comprendre**

compromis *m.* compromise; *see* **passer**

compter to count, expect; — **sur** to count on, rely on

comptoir *m.* counter

comte *m.* count

comtesse *f.* countess

concerner to concern, be concerned with

concevoir to conceive; — **quelque soupçon** to become suspicious

concierge *m.* door-keeper

concorder to agree

concours *m.* contest, competitive examination

conçu, -e *past participle of* **concevoir**

condamner (m *silent*) to condemn, sentence

conduire to lead, take

conduit *3d sing. pres. ind. of* **conduire**

conduite *f.* conduct, behavior

confit, -e preserved

confondre to confuse; **se — en excuses** to be lost in excuses, not to be able to make enough excuses

confus, -e abashed, disconcerted; confused, vague

confusément vaguely, confusedly

connais *1st & 2d sing. pres. ind. of* **connaître**

connaissais *1st sing. imperf. ind. of* **connaître**

connaissance *f.* acquaintance; knowledge; *see* **avoir, faire**

connaissez *2d pl. pres. ind. of* **connaître**

connaît *3d sing. pres. ind. of* **connaître**

connaître to know, get to know, find out

connu, -e *past participle of* **connaître**

connus *1st sing. past def. of* **connaître**

connut *3d sing. past def. of* **connaître**

conquérant *m.* conqueror

conscience *f.* conscience; consciousness

conseil *m.* council; advice; — **d'État** Council of State (*highest administrative court of the French nation, composed of ministers and other high officers*)

conseiller to advise; *m.* counsellor

consentir to consent; **consenti, -e** tolerated, consented to

conserves *f. pl.* preserves, preserved goods; *see* **boîte**

considération *f.* respect, consideration

considérer to contemplate

consommations *f. pl.* drinks

conspirateur *m.* plotter, conspirer

conspirer to conspire

constant, -e constant

constatation *f.* finding

constituer to constitute

construction *f.* construction

construire to build

construisit *3d sing. past def. of* **construire**

consultation *f.* consultation

consulter to consult

conte *m.* tale, story

contempler to contemplate

contenir to contain

content, -e (de) contented (with), happy (with)

conter to tell, relate, tell about; — **fleurette** to tell sweet nothings, say pretty things

contestable debatable, open to question

contestation *f.* dispute

continent *m.* continent

continu, –e continuous, constant

continuer to continue

contourner to go around, wind around among

contraindre to force, oblige

contraint, –e *past participle of* **contraindre**

contraire contrary; **au —** on the contrary

contrat *m.* contract

contre against, towards

contrée *f.* country, region

convaincre to convict; convince

convaincu, –e sincere, in good faith; convinced; *past participle of* **convaincre**

convenir to agree

conversation *f.* conversation

copier to copy

coq (q *sounded*) *m.* rooster

coquelicot *m.* poppy

coquet, –te coquettish

coquille *f.* shell; **en —s** like shells

corail *m.* coral

corbeille *f.* basket; **— de fleurs** flower bed (*circular or oval*)

corne *f.* horn

corniche *f.* cornice

corps *m.* body; company; **— d'armée** army corps

corse Corsican

Corte *Inland city of Corsica*

corvée *f.* drudgery, unpleasant job

costume *m.* costume, outfit

côte *f.* coast; **— à —** side by side

côté *m.* side; **à — de** beside, at the side of; **à — de moi** at my side; **à son —** at his side, beside him; **de —** sidewise, on one side; **de chaque —** on each side; **de l'autre — de** on the other side of; **du — de** in the direction of; *see* **mettre**

coteau *m.* hill, slope

cotillon *m.* cotillion

cou *m.* neck

couchant, –e setting

coucher to sleep; **se —** to lie down, go to rest, go to bed

coudre to sew

couler to run, flow

couleuvre *f.* adder, snake

couloir *m.* passage-way

coup *m.* blow, stroke, bump; shot; shock; **— d'état** sudden seizure of power of government; **— de fusil** gunshot; **d'un — d'œil** with a glance, at a glance; **— de pied** kick; **à —s de pioche** with blows of a pickaxe; **d'un — de poing** with a punch; **— de sifflet** whistle, blast of the whistle; *see* **boire, jeter, tout**

coupe *f.* goblet

coupé *m.* brougham (*two-seated, four-wheeled closed carriage*)

couper to cut

couple *m.* couple

cour *f.* yard, court

courant *m.* current, stream; *pres. participle of* **courir**; *adj.* **courant, –e** running, that was running; **au courant de** informed of, acquainted with

courbaturer to tire out

courbe *f.* curve, turn

courber: se — to bend over; **courbé, –e** bent over, bowed down courir to run; speed along

cours *m.* course; — d'eau stream; *2d sing. imperative of* courir

course *f.* errand, trip; running; d'une — irrésistible on an irresistible run

court, —e short, short-lived; *3d sing. pres. ind. of* courir

courtoisement courteously, politely

couru, —e *past participle of* courir

courut *3d sing. past def. of* courir

cousin *m.* cousin

couteau *m.* knife

coutume *f.* custom

couture *f.* sewing

couturière *f.* dressmaker, seamstress

couvert, —e *past participle of* couvrir

couvrir (de) to cover (with); overrun (with)

cracher to spit; sputter

craignant *pres. participle of* craindre

craignez *2d pl. imperative of* craindre

craindre to fear, be afraid

craint, —e *past participle of* craindre

crainte *f.* fear

crâne *m.* skull; brave fellow; à — de lune with a moon-shaped skull

crapule *f.* scalawag, rascal

crédit *m.* credit; Crédit Lyonnais Lyons Trust (*a banking firm with branches in all parts of France*)

créer to create; se — to create for oneself

crème *f.* cream; à la — creamed

crête *f.* crest

creuser to hollow out

creu–x, –se hollow

crever to shoot a hole in; break through

cri *m.* cry, outcry

crier to yell, cry, cry out

crime *m.* crime

crise *f.* crisis, attack

crisper to wrench

crist–al, –aux *m.* glass, piece of glass

crochu, —e crooked

crocodile *m.* crocodile

croire to believe, think, believe to be; — à to believe in

crois *1st sing. pres. ind. of* croire

croissant *m.* crescent

croit *3d sing. pres. ind. of* croire

croix *f.* cross

crosse *f.* butt

crotter to dirty, soil

croulant, —e crumbling

croyais *1st sing. imperf. ind. of* croire

croyance *f.* belief

cru, —e *past participle of* croire

crus *1st sing. past def. of* croire

cueillir to gather, pick

cuir *m.* leather

cuisine *f.* kitchen

cuisse *f.* thigh

culbuter to tumble, fall

culotte *f.* breeches

culotter to season

culture *f.* tilling, farming

curé *m.* priest, parish priest, vicar

curieu–x, –se curious

curiosité *f.* curiosity

cuvette *f.* basin

cymbale *f.* cymbal

D

d' *used for* **de** *before a vowel or* h *mute*

daigner to deign, condescend

dame *f.* lady

dandiner: se — to waddle along

danger *m.* danger, risk

dangereu-x, -se dangerous

dans in, into

dater (de) to date (back to)

davantage more; **pas —** not that either

de of, from, with, by, about; **— +** *a numeral* than

débarrasser: se — de to get rid of

déboucher to emerge

debout standing

début *m.* beginning

déchirer to tear, tear open

décidément decidedly

décider to decide; persuade; **— à** to persuade to come to; **se — à** to decide to do

décisi-f, -ve decisive

décision *f.* decision

déclarer to declare; **— la vendetta à** to declare a vendetta against, swear vengeance on

décolorer to discolor

découragement *m.* despondency

découvert, -e *past participle of* **découvrir**

découverte *f.* discovery

découvrir to discover, unmask, descry

décrocher to take down, unhook

dédaigneu-x, -se scornful; *see* **faire**

dedans *m.* inside, what was inside; *adv.* inside, in it; **en —**

within, internally; *see* **entrer, là**

dédommager to make amends to, indemnify

défaillance *f.* failure

défaillir to falter, grow faint

défaire: se — de to get rid of

défaite *f.* defeat

défaut *m.* lack

défense *f.* defense

défenseur *m.* defender

défi *m.* challenge

défiance *f.* distrust

défilé *m.* pass, defile; parade

défiler to march by

défoncé, -e broken up, dug up

dégager to give off, release

dégoûter to disgust

dehors outside; **du —** from outside, from abroad; **en —** outside, externally

déjà already

déjeuner to eat lunch

delà: au — (de) beyond

délibération *f.* deliberation; *see* **salle**

délicat, -e delicate

délicieu-x, -se delicious, exquisite

demain tomorrow

demander (à) to ask, ask for; **se —** to wonder

démangeaison *f.* itch, itching

démarche *f.* move, step; *see* **faire**

déménager to move out

démence *f.* madness

démesuré, -e huge, boundless

demeure *f.* home, dwelling; **— de campagne** country house

demeurer to remain; live

demi, -e half; **—e** half past

demi-vieux *m.* middle-aged man

démocrate *m.* democrat

démon *m.* devil, demon

démonté, –e unhorsed, thrown off his horse

dénouer to untie, loosen, undo

dent *f.* tooth; **jusqu'aux —s** to the teeth

dentelé, –e notched, indented

dentelle *f.* lace, lace-work

dentifrice dentifrice; *see* **eau**

départ *m.* departure; exodus

dépasser to stick out beyond

dépêche *f.* message, telegram

dépêcher: se — to hurry

dépendre de to depend on; be attached to

déplacer to move, change the place of

déplorable deplorable

déposer to lay down

depuis since, for; from; **— que** since; **— quand** how long; *see* **peu**

député *m.* deputy

déranger to disturb; **se —** to put oneself out, take trouble

derni–er, –ère last, final; latter; highest; **les trois —s** the last three

derrière behind

des = de + les

dès by, at, from the time of; **— que** as soon as

désagréable disagreeable

désastre *m.* disaster

descendre to come down, come down stairs, go down; put up, stop; get out

désert *m.* desert; *adj.* **désert, –e** deserted

désespéré *m.* desperate man; **en —** like a desperate man, desperately; *adj.* **désespéré, –e** disheartened; of despair

désespoir *m.* despair; **un — d'amour** a hopeless love affair, unrequited love

déshabiller to undress, disrobe

déshérité, –e *m. & f.* outcast; *see* **caboche**

désir *m.* desire

désolé, –e disconsolate

dessert *m.* dessert

dessiner to outline

dessous underneath

dessus on it, on him

destin *m.* fate, destiny

détachement *m.* detachment, squad

détacher to unfasten, untie; loosen; remove

dételer to unhitch

détériorer to run down, debase

déterminé, –e determined

détonation *f.* report, discharge

détour *m.* turn

détourner to turn aside

deuil *m.* mourning; **le — de** mourning for

deux two; *see* **tout**

devancer to outstrip, anticipate, beat

devant before, in front of; *see* **front**

devanture *f.* store window

devenir to become; **— amoureux de** to fall in love with

devenu, –e *past participle of* **devenir**

dévié, –e crooked

devient *3d sing. pres. ind. of* **devenir**

deviner to guess, divine

devinrent *3d pl. past def. of* **devenir**

devins *1st sing. past def. of* **devenir**

devint *3d sing. past def. of* **devenir**

dévisager to stare at

deviser to chat, converse

dévoiler to reveal, disclose

devoir must, should, ought to, to have to, to be to; *m.* duty

dévorer to devour, consume

dévoué, –e devoted

dévouée *f.* person who has sacrificed herself; **une sublime — ** a sublime example of self-sacrifice

diable *m.* devil; the deuce!

dictionnaire *m.* dictionary

Dieppe *City on the English Channel, a sub-prefecture of the department of the Seine-Inférieure*

dieu *m.* god; **mon — ** my heavens!

différent, –e different

difficile hard, difficult

difficulté *f.* difficulty

difforme misshapen

digne worthy

dignité *f.* dignity

diligence *f.* stage-coach

dimanche *m.* Sunday

diminuer to lessen, decrease

dinde *f.* turkey

dîner to dine, have dinner; *m.* dinner; *see* **prier**

diplomatie (t = ss) *f.* diplomacy

diplôme *m.* diploma

dire to say, tell; **dites donc** say!; **est-ce dit** is it agreed to?; *see* **ainsi**

directrice *f.* manager (*woman*)

diriger to direct, lead, turn, manage; **se — ** to go, betake oneself

dis *1st & 2d sing. pres. ind. & past def. & 2d sing. imperative of* **dire**

disais *1st sing. imperf. ind. of* **dire**

discipline *f.* discipline

discours *m.* speech; composition (*free*)

discr–et, –ète reserved, cautious

discussion *f.* debate, discussion

disent *3d pl. pres. ind. of* **dire**

disparaissait *3d sing. imperf. ind. of* **disparaître**

disparaître to disappear

disparition *f.* disappearance

disparu, –e *past participle of* **disparaître**

disparut *3d sing. past def. of* **disparaître**

**disperser: se — ** to scatter

disposer to dispose; **— de** to dispose of, do with; **— des postes** to post guards; **se — à** to get ready to

disposition *f.* service, disposal

dissimuler to conceal

distance *f.* distance; *see* **moitié**

distinct, –e distinct

distinguer to single out, distinguish; **distingué, –e** distinguished, genteel

distraient *3d pl. pres. ind. of* **distraire**

distraire to divert, amuse; **se — ** to get some diversion, amuse oneself

distrait, –e free from worry

dit *3d sing. pres. ind. & past def. of* **dire**; **dit, –e** *past participle of* **dire**; *see* **jour**

dites *2d pl. pres. ind. & imperative of* **dire**

diversement variously, in different ways

divin, –e divine

diviniser to deify

divinité *f.* divinity

dix ten

dix-huit eighteen

dix-sept seventeen

docteur *m.* doctor

doctorat *m.* doctor's degree

doigt *m.* finger

dois *1st sing. pres. ind. of* devoir

doit *3d sing. pres. ind. of* devoir

domaine *m.* domain

dôme *m.* dome

domestique *m.* servant

dominateur *m.* conqueror

dominer to dominate, overlook

donc then; therefore, and so; pray, please, tell me; *see* **dire, pourquoi, quoi**

donner to give; provide with; — l'assaut to make an attack; make an attack?; — entrée dans to lead into; — l'éveil à to give a warning to; — soif to make thirsty; — sur to overlook, open on

dont whose, of whom, of which, at which, with which, from which

doré, -e gilded

dormir to sleep

dors *1st sing. pres. ind. of* dormir

dort *3d sing. pres. ind. of* dormir

dortoir *m.* dormitory

dos *m.* back

double double

doucement quietly, softly, gently

douer to endow

douleur *f.* sorrow, anguish; pain

douleureu-x, -se painful

doute *m.* doubt; sans — doubtless

douter de to question, doubt; à n'en point douter unquestionably, undoubtedly

douteu-x, -se doubtful, questionable

dou-x, -ce sweet, gentle, pleasant; fresh (*of water*); *see* **faire**

douze twelve

drame *m.* drama

drap *m.* cloth; sheet

drapeau *m.* banner, flag; — parlementaire flag of truce

dresser: se — to rise up, arise, straighten up; dressé, -e rising, standing up

droit *m.* right; le — de the right to; *adj.* droit, -e right; straight; —e right hand, right; à —e to the right

drôle funny; un *or* une — de . . . a strange . . ., a funny . . .

du = de + le

dû, due due; *past participle of* devoir

duper to fool, dupe

dur, -e hard, harsh; le plus — the hardest part

durer to last

dus *1st sing. past def. of* devoir

dut *3d sing. past def. of* devoir

E

eau *f.* water; — dentifrice tooth wash, liquid dentifrice; *see* **cours, poussière, Robec, ville**

eau-de-vie *f.* brandy; — de pommes apple brandy

ébaucher to begin to make

éblouir to dazzle

écarter to push aside

ecclésiastique *m.* clergyman, ecclesiastic; *adj.* ecclesiastical

échange *m.* exchange; en — de in exchange for

échapper (à) to escape (from), get away (from); s'— to escape; s'— de to slip out of

éclabousser to splash

éclaboussure *f.* splash

éclair *m.* flash, flash of lightning

éclaircir: s'— to grow thin *or* sparser; to brighten

éclairer to light up

éclaireur *m.* scout

éclat *m.* brilliance

éclater to break forth, burst out

éclipse *f.* eclipse

école *f.* school, school-house; *see* maître

écolier *m.* school-boy; *see* farce

économies *f. pl.* savings

écouler: s'— to pass by, elapse

écouter to listen (to)

écraser to crush

écrier: s'— to exclaim, cry out

écrire to write, write down

écrit, –e *past participle of* écrire

écrivait *3d sing. imperf. ind. of* écrire

écrivit *3d sing. past def. of* écrire

éducation *f.* training; education

effaré, –e (de) scared (at), bewildered (with)

effarement *m.* bewilderment

effet *m.* effect, impression; en — indeed

effiloqué, –e frayed

effleurement *m.* faint touch

effleurer to faze, affect; graze; — de to graze with, skim with

effort *m.* effort

effroyable frightful

égal, –e even, uniform, smooth

égarer: s'— to wander

église *f.* church

égout *m.* sewer

eh: — bien well!

élan *m.* spring; *see* prendre

élancé, –e high and narrow

élancer: s'— sur to rush at

élargir to spread

électriser to electrify

élégance *f.* elegance

élève *m.* pupil

élever to raise, bring up; s'— to arise

elle she, it, her; —s they, them

elle-même herself; elles-mêmes themselves

elles *see* elle

éloigné, –e remote, distant

embarrasser to embarrass, disturb

embellir to grow handsome

embêter to bother, annoy

embouchure *f.* mouth

embrasser to kiss; — à pleins bras to hug and kiss

émerveillé, –e wonder-struck

émeute *f.* riot, outbreak

emmêlement *m.* entanglement

emmêler to entangle

émotion *f.* emotion

émouvoir to stir, excite, move, touch

emparer: s'— de to seize, take hold of

empêcher de to prevent from, keep from

empereur *m.* emperor

empiler to pile up

empire *m.* empire; **Empire** Second Empire (*established by Napoleon III in 1852*)

emplir (de) to fill (with)

employer to use; employ

empocher to pocket

emporter to take away, carry away; emporté, –e runaway

empresser: s'— to insist, be insistent

ému, –e *past participle of* émouvoir

en of it, of them, with it, with them, from it, from them, from this, because of it, by it; some, any; *prep.* in, into, inside of; as, as a, like; — + *gerund* in, by, while; **tout —** + *gerund* while

enchanté, -e delighted, highly gratified

encombré, -e de piled up with

encore still, yet, also, more, again, some more, still more, still longer; **— un** another

encre *f.* ink

endimanché, -e all dressed up

endroit *m.* place, spot

énergie *f.* energy, strength

énergique energetic

énerver to enervate

enfance *f.* childhood

enfant *m. & f.* child; **d'—** of a child

enfermer to close in, shut in, shut up, shut; contain

enfin finally; in a word; at any rate

enfoncer to sink; stick, stick in; push; break in; **s'—** to sink; bury oneself

enfuir: s'— to flee, run away

engager to urge; **s'— dans** to enter, enter into

engloutir to swallow, gulp down

engraisser to grow fat

engrener to enmesh

enhardir: s'— to make bold, grow bold

énigme *f.* puzzle; **— parlée** verbal puzzle, charade

enjambée *f.* stride

enlever (à) to remove, take away (from)

ennemi *m.* enemy; *adj.* **en-nemi, -e** opposing, rival

ennuient *3d pl. pres. ind. of* **ennuyer**

ennuyer to bore; **s'— (de)** to get bored (at)

énorme enormous

enquête *f.* inquiry

enregistrer to record

enrhumer: s'— to catch a cold

enroué, -e hoarse

enroulé, -e twisted, coiled up

enseigne *f.* sign, sign-board

enseignement *m.* teaching, lesson

enseigner to teach

ensemble together

ensevelir to bury

ensuite afterwards, then

entasser: s'— to pile up

entendre to hear; expect; understand; **entendu, -e** agreed; **bien entendu** of course

enterrement *m.* burial, funeral

enterrer to bury

enthousiasme *m.* enthusiasm

enthousiasmer to fill with enthusiasm

enti-er, -ère whole, entire

entourer (de) to surround (with)

entraîner to lead away

entre between; in, into; *see* **bras, moitié**

entre-bâiller: s'— to open partly

entrée *f.* entrance; **— de** entrance to; *see* **donner**

entrer (en) to enter (into), go into, come in, go in, go inside; **— dedans** to go in; **— là dedans** to go in, go in there

entretien *m.* upkeep, maintenance

entrevoir to glimpse, catch sight of

entrevu, −e *past participle of* entrevoir

énumérer to enumerate

envahir to invade, seize upon, come upon

envahisseur *m.* invader

enveloppement *m.* cover, covering

envelopper de to surround with; enveloppé, −e de enveloped in, wrapped up in

envie *f.* desire; — de desire for

environ about

envoler: s'— to fly away

envoyer to send; — chercher to send for

épais, −se thick

épaisseur *f.* thickness

épanouir: s'— to open, bloom

épaule *f.* shoulder

épée *f.* sword

éperdu, −e (de) distracted, desperate, bewildered (with)

éperdument madly, desperately

épicerie *f.* grocery store

épicier *m.* grocer

époque *f.* time; —s ténébreuses dark ages

épouser to marry

épouvantable frightful, horrible

épouvante *f.* fright, terror

épouvanter to frighten

éprendre: s'— de to become smitten with

éprit *3d sing. past def. of* éprendre

éprouver to feel, experience

épuiser to wear out, exhaust

équiper to equip, fit out

errant, −e wandering

errer to wander

erreur *f.* mistake, error

es *2d sing. pres. ind. of* être

ès = en + les (*used only in university degrees*)

escalier *m.* stairway, stairs

escapade *f.* lark, escapade

escarpé, −e steep, lofty

escorte *f.* escort, retinue

espace *m.* space

espagnol, −e Spanish; Espagnole *f.* Spanish girl *or* woman

espérance *f.* hope

espérer to hope

esprit *m.* spirit; mind

essayer to try

essuyer to wipe, wipe away

est *3d sing. pres. ind. of* être

estime *f.* esteem

estimer to esteem; estimé, −e highly esteemed

estropié *m.* cripple; *adj.* estropié, −e crippled; mutilated, bungled

estropier to cripple, maim

et and

étable *f.* cattle-shed

établir to establish; s'— to grow up; to set up in business

étage *m.* story, floor; premier — second floor

étais *1st sing. imperf. ind. of* être

étaler to display, stretch out; s'— to spread out; be displayed

étant *pres. participle of* être

état *m.* state; l'— de mon âme my state of mind; *see* conseil, coup

état-major *m.* staff

été *m.* summer, summer-time; *past participle of* être

éteignit *3d sing. past def. of* éteindre

éteindre to extinguish, put out; remove, eliminate; s'— to go out, grow dim éteint, -e *past participle of* éteindre

étendard *m.* standard, banner

étendre to stretch out

étendue *f.* extent

éternel, -le eternal

éternité *f.* eternity

êtes *2d pl. pres. ind. of* être

étiez *2d pl. imperf. ind. of* être

étinceler to sparkle

étoffe *f.* cloth, fabric

étoile *f.* star

étonnant, -e astonishing

étonnement *m.* astonishment, surprise

étonner to surprise, astonish; s'— to be surprised

étouffant, -e stifling, suffocating

étourneau *m.* starling; giddy goose

étrange strange

étrangement strangely

étrangère *f.* foreign woman

étrangler to choke

être to be, to exist; — à to belong to; c'est it is, he is, she is, this is, that is, there is; ce sont they are; c'est là that is; it is there; il n'est pas question de there is no question of; il en est de it is with, the same is the case with; il en est ainsi it is this way, such is the case; n'est-ce pas do you?; soit or; *m.* being, creature, living being

Étretat *Town and bathing resort a few miles north of Le Havre*

étude *f.* study; study-hall; *see* faire

étudiant *m.* student

eu, -e *past participle of* avoir

eus *1st sing. past def. of* avoir

eusse *1st sing. past subj. of* avoir

eussent *3d pl. past subj. of* avoir

eut *3d sing. past def. of* avoir

eût *3d sing. past subj. of* avoir

eux them, they; *see* non

éveil *m.* warning, alarm; *see* donner

éveiller to awaken

événement *m.* event

évêque *m.* bishop

éviter to avoid

exaltation *f.* exaltation

exalté, -e exalted

examiner to examine, look closely at; look things over

exaspérer: s'— de to become angered at; exaspéré, -e enraged, incensed, exasperated

excellent, -e excellent, fine

excepté except

exception *f.* exception

exciter to stir up, excite

exclamation *f.* exclamation

excursion *f.* trip

excuse *f.* excuse; *see* confondre

exécrable wretched

exécuter to execute, carry out

exécuteur *m.* executor; ses —s testamentaires the executors of his will

ex-empereur *m.* ex-emperor

exemple *m.* example; par — indeed, upon my word!; of course

exercer to drill

existant, -e existing

existence *f.* existence, lifetime, life

exister to exist

ex-lieutenant *m.* ex-lieutenant

exotique *f.* exotic woman (*used satirically*)

expédier to send
expirer to expire, die
explication *f.* explanation
expliquer to explain; **comment
— cela** how explain that?;
how can that be explained?;
s'— to give an explanation,
explain what one means
explosion *f.* explosion
exposer to risk, endanger; explain
exprès purposely
expression *f.* expression
exprimer to express; **comment
— cela** how express that?
exquis, –e exquisite, delightful
extase *f.* ecstasy
extasier to captivate
extérieur, –e external
externe *m.* day-pupil
extraordinaire extraordinary
extravagant, –e extravagant
extrême extreme
extrémité *f.* end

F

fable *f.* story (*untruth*)
face *f.* face; side; **— à —** face
to face, facing each other;
en — de opposite; in front
of; **en — l'un de l'autre** opposite each other; **en —,
bien en —** squarely in the
face; *see* **faire**
fâcher: se — to get angry
facile easy
façon *f.* way, manner; **à la —
de** in the manner of, like;
de . . . — in . . . way *or*
manner; **de la — . . .,** de
la . . . —** in the . . . way
facteur *m.* postman, letter-
carrier
factice artificial
faible weak

faiblesse *f.* weakness
faïence *f.* crockery
faillir + *inf.* to almost + *verb*
faim *f.* hunger; *see* **avoir**
fainéant *m.* do-nothing, idler
faire to make, do; cause, have;
say, write; **— attention à** to
pay attention to; **— du bien à**
to do good to; **— la connaissance de** to make the acquaintance of, meet; **— une
chaleur terrible** to be dread-
fully hot; **— le dédaigneux**
to pretend to be scornful *or* indifferent; **— les démarches**
to make the moves; **— doux**
to be mild (weather); **— son
droit** to study law; **— des
études latines** to study
Latin; **— face à** to face; **—
une farce** to play a prank; **—
fonctions de** to perform the
duties of; **— froid** to be cold;
— des grimaces horribles to
make horrid faces; **— une
belle jambe à** to do a lot of
good to; **— mal à** to hurt;
— le mort to pretend to be
dead; **— un mouvement** to
move; **— un mouvement involontaire** to give a start;
— la nique à to make fun
of; **— noir** to be black; **—
peur à** to frighten; **— plaisir
à** to be pleasing to; **— le
quart** to be on watch; **— semblant de** to pretend to, act
as if; **— sombre** to be dark;
— le tour de to go around;
— un tour to take a trip; **se
— tremper** to get soaked;
— un trou avec to whet
one's appetite with; **se —
valoir** to show one's importance; **— venir** to send

for; se — to make oneself; to become; to form; take place, happen; que — what is there to do, what can be done?

fais *1st & 2d sing. pres. ind. & 2d sing. imperative of* faire

faisaient *3d pl. imperf. ind. of* faire

faisait *3d sing. imperf. ind. of* faire

faisant *pres. participle of* faire

faisons *1st pl. pres. ind. & imperative of* faire

fait *m.* fact; *see* mettre; *3d sing. pres. ind. of* faire; **fait, —e** *past participle of* faire

faites *2d pl. pres. ind. & imperative of* faire

falloir to be necessary; to take; **il faut** it is necessary to; **il ne faut pas** it is necessary not to; **comme il faut** respectable, the right kind of; **il le faut** it is necessary, it has to be done; **il me fallait** I needed

fameu-x, —se famous; excellent, fine; *see* lapin

famili-er, —ère familiar

famille *f.* family

famine *f.* hunger

fange *f.* mud, mire

fantaisie *f.* fancy

fantastique fantastic

farce *f.* farce, prank; — **d'écolier** school-boy's prank; *adj.* farcical; *see* faire

farceur *m.* practical joker

fasse *1st & 3d sing. pres. subj. of* faire

fatal, —e fatal

fatigue *f.* hardship, toil

fatiguer to tire out; se — to get tired; **fatigué, —e** tired

faubourien, —ne cockney, ordinary

faudrait *3d sing. cond. of* falloir

faut *3d sing. pres. ind. of* falloir

faute *f.* fault, mistake

fauteuil *m.* arm-chair; — **de lecture** reading chair

fécond, —e fertile, fruitful

féconder to make fertile

fée *f.* fairy

féerique *adj.* fairy

feignit *3d sing. past def. of* feindre

feindre to pretend

femme *f.* wife; woman

fenêtre *f.* window

fer *m.* iron; *see* chemin

ferai *1st sing. fut. of* faire

fer-blanc *m.* tin; en — tin

ferme *f.* farm; *adj.* steady, resolute, firm

fermer to close, close up; lock; — **à double tour** to double-lock

fermeté *f.* firmness; avec — firmly

fermier *m.* farmer

féroce ferocious, wild

ferrure *f.* bar, strip

feston *m.* festoon

feu *m.* fire; — **d'artifice** fireworks

feuillage *m. or* —s *m. pl.* foliage

feuille *f.* leaf; sheet; newspaper

feuillet *m.* sheet, leaf

fiacre *m.* cab; en — in a cab; *see* cocher

fiancé *m.* groom

ficelle *f.* string

ficher: — **la paix à** to not bother, leave alone; se — **de** to not care about

fidèle faithful

fier, fière proud; fine, remarkable; *see* chance

fièrement haughtily, proudly

figure *f.* face, form; en pleine — right in the face

figurer: se — to imagine; tu ne te figures pas, on ne se figure pas you can't imagine

fil *m.* thread

file *f.* row

filer to fly, shoot; move off, slip away

filet *m.* stream

fille *f.* daughter, girl; jeune — girl

fillette *f.* little girl, young girl

fils *m.* son

fin *f.* end; sans — endlessly; en — d'année at the end of the year; la — des siècles the end of time; pour jusqu'à la fin for good, for all time; fin, -e *adj.* fine, delicate, refined

finir to end, finish; — de, en de to end, be through with, put an end to

fis *1st sing. past def. of* faire

fit *3d sing. past def. of* faire

fixer to fix, set, settle, hold

flanc *m.* flank, side; inside

flanquer to throw; — en prison to throw in jail, cast in prison

flaque *f.* puddle

flatter to flatter

fleur *f.* flower; *see* corbeille

fleurer to smell of

fleurette *f.* *see* conter

fleuve *m.* river

Florence *f.* Florence

flot *m.* flood, billow, wave

flotter to float, flutter, hover

foi *f.* faith; bonne — good faith, sincerity

foin *m.* hay

fois *f.* time; une — once; une seule — only once

folle *f.* crazy woman; *f. of* fou

follement madly, wildly

foncé, -e dark, black

fonction *f.* function; —s *f. pl.* office; *see* faire

fonctionnaire *m.* official

fond *m.* bottom; back; back part (of a room); — de siège seat (of a chair); au — at bottom; au — de at the bottom of, in the depths of, at the back of

fondre to melt

font *3d pl. pres. ind. of* faire

fontaine *f.* fountain; *see* porteur

force *f.* strength, force, high quality; —s *f. pl.* strength, might; à — de because of, by dint of; de — by force, forcibly; de toute sa — with all his might; de toute ma force with all my might; de toute la — de with the full force of

forcer to force

forêt *f.* forest, woods; *see* Aïtône

forme *f.* form, shape

former to form; se — to be formed

formidable tremendous, formidable, fearful

fort, -e heavy; loud; *adv.* fort very, very much, greatly

fortune *f.* fortune; property, money, wealth

fossé *m.* ditch

fou, fol, folle (de) mad, crazy (with *or* about); fou *m.* crazy person, madman

foudre *f.* lightning

foudroyer to blast, riddle

foule *f.* crowd

four *m.* oven

fourmis *f.* ant
fournaise *f.* furnace
fournir to furnish, supply
fourré *m.* thicket
foyer *m.* source, center; home
frais, fraîche fresh, cool
franc *m.* franc; *adj.* **fran–c,**
–che frank
français, –e French; **Français** *m.*
Frenchman
France *f.* France
frapper (de) to strike (with);
knock; strike down
frêle weak, frail
frémissement *m.* shiver, quiver
fréquenter to frequent
frère *m.* brother
frictionner to rub, give a rub
to
frisé, –e curly
frit, –e fried
friture *f.* fried fish
froid *m.* cold; *adj.* **froid, –e**
cold; *see* **avoir, faire**
front *m.* brow, forehead, front;
devant le — de at the head
of
frotter (de) to rub, polish,
furbish (with)
fruit *m.* fruit; **—s** *m. pl.* fruit
fuir to flee
fuit *3d sing. pres. ind. of* **fuir**
fumage *m.* fertilizing, spread-
ing manure
fumée *f.* smoke
fumer to smoke
fûmes *1st pl. past def. of* **être**
fumeur *m.* smoker
furent *3d pl. past def. of* **être**
fureur *f.* fury, rage
furieu–x, –se furious, raging,
fierce
furti–f, –ve furtive, stealthy
fus *1st sing. past def. of* **être**
fusée *f.* rocket

fusil (l *silent*) *m.* gun, rifle; **—**
de chasse hunting rifle, fowl-
ing piece; **— à système** au-
tomatic rifle; *see* **canon**
fusiller (ll *liquid*) to shoot
fut *3d sing. past def. of* **être**
fût *m.* shaft; *3d sing. past subj.*
of **être**
fuyait *3d sing. imperf. ind. of*
fuir

G

gagner to earn, win
gai, –e gay, cheerful
gaieté *f.* gaiety, sparkle of
gaiety
gaine *f.* case
galanterie *f.* gallantry
galerie *f.* gallery
galette *f.* biscuit, cake; **—**
chaude hot cakes
galon *m.* stripe, braid; **à —**
rouge with a red stripe *or*
braid
galop *m.* gallop
galoper to gallop
galopin *m.* brat
gamin *m.* youngster, urchin;
adj. **gamin, –e** impish
gant *m.* glove
garçon *m.* boy, young man;
waiter; **— d'honneur** grooms-
man
garde *m.* guard, caretaker; *f.*
care; *see* **prendre**
garder to keep, preserve; guard,
watch
gardien *m.* guardian, caretaker
gargouille *f.* gargoyle
garni, –e de trimmed with
gars (s *silent*) *m.* boy, fellow
gâteau *m.* cake
gauche left; **à —** to the left
gaz (z *sounded*) *m.* gas
gazelle *f.* gazelle

gazon *m.* lawn

gémir to moan, groan

gendarme *m.* policeman; **—s** *m. pl.* police, policemen

gendarmerie *f.* police

gêne *f.* constraint, uneasiness

gêner to make uneasy, make uncomfortable; **se —** to stand on ceremony, inconvenience oneself; **gêné, –e** uncomfortable

génér–al, –aux *m.* general; *adj.* **général, –e** general

génération *f.* generation

généreu–x, –se generous

générosité *f.* generosity

Gênes Genoa

génie *m.* genius, spirit

genou *m.* knee; **à —x** on my knees; *see* **mettre**

gens *m. & f. pl.* people; servants; **en — pratiques** as practical people

gentil, –le nice, lovely, pleasant

gentilhomme *m.* nobleman

Gerisaie (la) *Name of a hamlet*

germer to germinate, spring up

geste *m.* gesture, move, movement; *see* **avoir**

gibier *m.* game

gigantesque gigantic

gigot *m.* leg of lamb

gilet *m.* vest, waistcoat

girouette *f.* weather-vane, weather-cock

glacier *m.* glacier

glisser to slip, slide; **se —** to slip, slide

gloire *f.* glory, pride

gloutonnerie *f.* gluttony

gorge *f.* gorge, pass; throat

gorgée *f.* draught; **d'une —** with one swallow

gothique Gothic

gourmand, –e gluttonous

goût *m.* taste, liking; *see* **prendre**

goutte *f.* drop

gouvernement *m.* government

grâce *f.* grace, thankfulness, gracefulness, charm; **— à** thanks to; *see* **action**

gracieu–x, –se pleasing, gracious

grade *m.* rank; *see* **casser**

grain *m.* grain

graine *f.* seed; **—s** *f. pl.* grain

grammaire *f.* grammar

grand, –e large, big, great, grown-up; **les —s** the grown-ups

grandeur *f.* excellency

grandiose grandiose

grandir to grow, increase; grow up

grand'peur *f.* great fear; *see* **avoir**

granit *m.* granite

grappiller to grab

gras, –se rich, fertile; fleshy, succulent; greasy

grave serious

gravement gravely, seriously

graver to engrave, impress

gravité *f.* seriousness

grec, –que Greek; **Grec** *m.* Greek

gredine *f.* scoundrel

grêle slim, slender

grenier *m.* attic, loft

griffe *f.* claw

grimaçant, –e grimacing

grimace *f.* grimace, face; *see* **faire**

grincer to creak

gris, –e gray; tipsy

grondement *m.* rumbling

gronder to rumble, roar

gros, –se big, large, great; fat; *m.* bulk, most

grossir to enlarge, magnify

grotesque grotesque

grouiller to swarm

groupe *m.* group

grouper to group

guère: ne . . . — scarcely, hardly

guérir to cure; **se —** to be cured

guerrier *m.* warrior

guêtré, –e *adj.* in leggings

gueuse *f.* beggar (*woman*)

gueux *m.* beggar

guitare *f.* guitar

gymnastique gymnastic; *see* **pas**

H

habilement skilfully

habiller: s'— to dress, get dressed

habitant *m.* inhabitant

habitation *f.* dwelling

habiter to live, live in, occupy

habits *m. pl.* clothes

habitude *f.* habit; *see* **prendre**

habitué *m.* regular customer

habituel, –le usual, customary

'haie *f.* hedge

'haillonneu–x, –se ragged, in rags

'haleter to gasp for breath

'halluciné *m.* victim of a hallucination

'hameau *m.* hamlet

'hanter to haunt

'hantise *f.* obsession, haunting thought

'harasser to weary, harass

'harceler to worry, harass

'hasard *m.* chance

'hâte *f.* haste; **en toute —** in great haste, in a great hurry

'hâter to hasten; **— le pas** to hasten one's pace; **se —** to hasten, hurry

'hausser to shrug

'haut, –e high, lofty; tall; *m.* top; **du — en bas (de)** from top to bottom (of), throughout, from head to foot; **tout en —** away up, away on top; **. . . de —** . . . high

'haut-le-cœur *m.* nausea; *see* **avoir**

'Havraise *f.* woman of Le Havre

'hélas (s *sounded*) alas!

'Henri II (Deux) *King of France from 1547 to 1559. The name of the king is used to characterize the furniture of the period*

herbage *m.* pasture, grass

herbe *f.* grass; herb; **—s** *f. pl.* grass

'hérissé, –e bristling

héritage *m.* inheritance

hériter de to inherit

héroine *f.* heroine

'héros *m.* hero

hésitation *f.* hesitation

hésiter to pause, hesitate, delay

heure *f.* hour, time, o'clock; *see* **quart**

heureu–x, –se (de) happy (to); lucky (to *or* for)

'heurt *m.* blow, knock, collision

'heurter to strike against; **— (à)** knock at

'hideu–x, –se frightful, dreadful

hier yesterday

histoire *f.* story, history

historien *m.* historian

historique historical

hiver *m.* winter

'holà ho!, hello!

homme *m.* man, fellow; **brave —** decent fellow; **— de la**

milice militiaman; *see* man-
geur
honnête decent
honneur *m.* honor; *see* garçon
'honte *f.* shame
'honteu–x, –se de ashamed of
horizon *m.* horizon
horloger *m.* watchmaker, clock-
maker
horrible horrid, horrible
'hors besides, except; — de
outside of
hôtel *m.* hotel
huis *m.* door
huissier *m.* tipstaff
'huit eight
humain, –e human
humble humble, lowly
humide damp, moist, wet
humiliation *f.* humiliation
'hurler to bellow, yell, howl,
shout; — de peur to howl
with fear
'hurrah hurrah!

I

ici here; par — this way
idée *f.* idea, thought
idole *f.* idol
ignorant, –e ignorant
ignorer to not know, be ignorant of; ignoré, –e de un-
known to
il he, it; —s they
île *f.* island; — des Fleurs
*Small island in the Seine not
far from Paris*
illuminer to light, light up, il-
luminate, enlighten, brighten
ils *see* il
image *f.* image; à son — in
his image; à l'— de in the
image of
imaginer: s'— to imagine
imiter to imitate

immédiatement immediately
immense immense, enormous
immensité *f.* broad expanse
immobile motionless
impatience *f.* impatience
imperceptible imperceptible
impérial, –e imperial
impérieu–x, –se irresistible, im-
perious
importance *f.* importance
important, –e important
importer to matter; n'importe
où anywhere
imposant, –e imposing
imposer to impose, force, ob-
trude
impossibilité *f.* impossibility
imprenable impregnable
impression *f.* impression
imprévu, –e unexpected; sudden
imprimer to print
impuissance *f.* powerlessness
impuissant, –e powerless
inaccessible inaccessible
inanimé, –e inanimate
inattendu, –e unexpected
inavouable shameful
incapable (de) incapable, un-
able (to)
incendier to set on fire, set fire
to, burn up
inciter to incite, stir up
incliner: s'— to bow
incomparable incomparable
incompl–et, –ète incomplete
incompréhensible incompre-
hensible
incrédule incredulous, doubting
incroyable incredible
indécis, –e undecided
indéfiniment indefinitely
indépendance *f.* independence
indépendant, –e independent
indifférence *f.* indifference

indifférent, –e indifferent, immaterial, of no importance
indignation *f.* indignation
indigne unworthy, shameful
indigné, –e (de) indignant, angry (at)
indignement shamefully
indiquer to indicate, designate, point out
indistinct, –e indistinct
industriel *m.* industrialist
ineffaçable indelible, ineffaceable
inégal, –e unequal; uneven
inépuisable inexhaustible
inerte sluggish, phlegmatic
inexplicable unexplainable; **de l'—** something unexplainable
infime tiny
infini, –e infinite, endless
inflexible inflexible, relentless
influence *f.* influence; touch
informer to inform; **s'— de** to inquire about
ingénieu–x, –se clever, ingenious
inimaginable inconceivable
inintelligible unintelligible
initiateur *m.* leader, innovator; *see* **mission**
innocence *f.* innocence
innocent, –e innocent; **—s** *m. pl.* innocent people
inondation *f.* flood; **en —** in a deluge
inonder to overflow
inoubliable unforgettable
inqualifiable unworthy, shameful
inqui–et, –ète uneasy, worried
inquiétant, –e disquieting, disturbing
inquiéter to worry
inquiétude *f.* worry, anxiety
insensé, –e foolish, senseless
insensible insensible

insignifiant, –e insignificant
insinuer to instil
insister (pour) to insist (on), urge, press hard
insolite unusual
insouciant, –e heedless, carefree
inspiration *f.* inspiration
installer to instal; **s'—** to be installed; **installé, –e à** settled at
instant *m.* moment
instantanément instantly
instincti–f, –ve instinctive
instituteur *m.* school-teacher
institution *f.* academy, school
institutrice *f.* school-teacher
instruction *f.* instruction
instruire to draw up, prepare
instruit, –e *past participle of* **instruire**
instrument *m.* instrument
insulte *f.* insult
insupportable insufferable
intact, –e intact
intelligence *f.* intelligence, mind
intensité *f.* intensity
interdit, –e dumbfounded
intéresser to interest
intérêt *m.* interest
intérieur *m.* inside; **intérieur, –e** *adj.* internal
interpeller to address
interpréter to interpret
interrogatoire *m.* questioning
interroger to question
interrompre to interrupt; **s'—** to stop
intime inmost
intimider to intimidate
intolérable insufferable, intolerable
intrépidement boldly, intrepidly
intrigue *f.* intrigue

intrigué, −e puzzled, curious
introuvable not to be found
inutile useless, unnecessary
inventer to invent
investir de to invest with
inviter to bid, summon; invite
invocation f. invocation; sous
l'− de under the protection
of
involontaire involuntary; see
faire
invraisemblable (s = ss) un-
likely; incredible
invraisemblablement improb-
ably, unbelievably
ira 3d sing. fut. of aller
irai 1st sing. fut. of aller
irréparable irreparable
irrésistible irresistible
isolé, −e lonely, isolated, separate
isolement m. isolation, seclu-
sion
isoler to isolate, separate
Italie f. Italy
Italienne f. Italian girl or
woman
itinéraire m. itinerary, route
ivre drunk
ivrogne m. drunkard

J

jamais ever, never; à − for
ever; ne . . . − never
jambe f. leg; à toutes −s at
full speed; see faire
jardin m. garden
jardinier m. gardener
jaser to chatter, gossip
jatte f. bowl
jaunâtre yellowish
jaune yellow
javelot m. javelin
je I
jésuite m. Jesuit

jetée f. pier
jeter to throw, cast, hurl; send
forth; yell; − à to throw at
or to; − un coup de pied to
give a kick
jeteur m. thrower; − de sorts
hoodoo, Jonah
jette 3d sing. pres. ind. of jeter
jettent 3d pl. pres. ind. of jeter
jeu m. game
jeune young
jeûne m. fasting
jeûner to fast
jeunesse f. youth
joie f. joy
joli, −e pretty, nice
joue f. cheek
jouer to play; to fool, trick;
perform; frolic; risk, stake;
− à to play (a game)
jouet m. plaything, toy
joueur m. player; − de billard
billiard player
joug (g sounded) m. yoke
jouir de to enjoy
jour m. day, day-time, day-
light; au − dit on the day
set; huit −s a week; quinze
−s two weeks; par − a
day; un − one day, some
day; see percer
journ-al, −aux m. newspaper
journée f. day; dans la − in
the course of the day, as the
day advanced
joyeu-x, −se joyful, cheerful
juge m. justice; judge
juger to judge, deem, think
juillet m. July
jupe f. skirt
jurer to swear
jusque as far as; − là `up un-
til that time, hitherto; that
far; jusqu'à until; even; as
far as, down to, up to; jusqu'à

ce que until; *see* **chez, dent, fin**

juste just, right; **au —** exactly

justement just, exactly, precisely

K

képi *m.* cap (military)

kilomètre *m.* kilometer (*about three fifths of a mile*)

kirsch *m.* kirsch (*liquor distilled from a special cherry wine*)

L

l' *used for* **le** *or* **la** *before a vowel or* **h** *mute*

la *art. f.* the; *pron. f.* her, it

là there, here; **de —** thence, from that; **— dedans** in there, inside; *see* **ce, celui**

là-bas over there, away over there

labour *m.* cultivated land

labourage *m.* ploughing

labyrinthe *m.* labyrinth

lâche *m.* coward

lâcher to let go, let go of, release

lâcheté *f.* cowardice

lacune *f.* gap

là-dessous under that, back of that, back of it

là-haut up there

laisser to leave, let, allow; **se — aller** to yield to circumstances

lait *m.* milk

lame *f.* strip, sheet, piece

lamentable lamentable, regrettable

lampe *f.* lamp

lancer to throw, hurl, send, send forth

langue *f.* tongue; language

lapin *m.* rabbit; fine fellow; **fameux —** fine fellow

laquelle *f. of* **lequel**

large wide; large, ample; **— de . . . .** wide; *see* **long**

larme *f.* tear

larmoiement *m.* weeping, whimper

lasser to weary, tire

latin *m.* Latin; *adj.* **latin, –e** Latin; *see* **quartier**

laver to wash

le *art. m.* the; *pron. m.* him, it; so

leçon *f.* lesson

lecture *f.* reading; *see* **fauteuil**

lefaucheux *m.* hunting gun

légende *f.* legend

lég–er, –ère light, slight, faint

légitimiste *m. & adj.* legitimist (*supporter of the Bourbon and Orleans families*)

legs (gs *silent*) *m.* bequest

léguer to leave, bequeath

légume *m.* vegetable

lendemain next day

lent, –e slow

lentement slowly

lequel who, whom, which, what, which one, what kind

les *art. pl. m. & f.* the; *pron. pl. m. & f.* them

lesquelles *f. pl. of* **lequel**

lesquels *m. pl. of* **lequel**

lettre *f.* letter; *see* **licence, papier**

leur *pron.* to them; *poss. adj.* their

lève *1st & 3d sing. pres. ind. of* **lever**

lever to raise; **se —** to rise, arise, get up, come on

lèvre *f.* lip

liard *m.* farthing (*old coin worth a quarter of a sou*)

liberté *f.* liberty, freedom

libre free

license *f.* licentiate (*university degree*); —**ès lettres** master of arts

lieu *m.* place; **au — de** instead of; *see* **avoir**

lieue *f.* league; **à dix —s du village** ten leagues from the village

lieutenant *m.* lieutenant

lièvre *m.* hare

ligne *f.* line, row; **sur toute la —** all along the line

lilas lilac-colored

limite *f.* limit, edge

lin *m.* flax, flax spike

linge *m.* linen; cloth

lingerie *f.* store-room (for linen), sewing-room

liqueur *f.* cordial

lire to read

lisait *3d sing. imperf. ind. of* **lire**

lit *m.* bed; *see* **mettre**

livre *m.* book

livrer to deliver

local, —e local

lofer to luff; *see footnote to page 55, line 27*

loge *f.* lodge

logis *m.* home, dwelling, abode

loi *f.* law

loin far, far away; **— de** far from; away from; **au —** in the distance; **plus —** farther, farther on; *see* **aller**

lointain, —e distant, remote

long, —ue long; **le long de** along; **de long en large** up and down; **— de** . . . . . . long

longtemps a long time, a long while; **— encore** any longer; **plus —** longer, any longer, for a longer time; **si —** such a long time

longueur *f.* length

lorgner to eye, keep one's eye on

lors then

lorsque when

Louis XIII (Treize) *King of France from 1610 to 1643. The name of the king is used to characterize the furniture of the period*

loup *m.* wolf

lourd, —e heavy

lourdement heavily

lucarne *f.* dormer-window

lucide clear, lucid

lueur *f.* light, glow; **la — de sa lumière** the glow of his light

lui he, him, it; to him, to her

lui-même himself

luire to shine, glisten

luisant, —e shiny, shining, glistening; *see* **ver**

lumière *f.* light, glare; *see* **lueur**

lundi *m.* Monday

lune *f.* moon

lunettes *f. pl.* glasses, spectacles

lustre *m.* chandelier

lut *3d sing. past def. of* **lire**

lutte *f.* struggle

lutter (contre) to struggle (with)

lycée *m.* high-school (*municipal*)

lyonnais, —e of Lyons (*French manufacturing city on the Rhone*); *see* **crédit**

M

M. *abbrev. for* **monsieur**

m' *used for* **me** *before a vowel or h mute*

ma *poss. adj. f.* my

machine *f.* engine

mâchoire *f.* jaw

maçon *m.* mason; *see* maître

maçonnique masonic

madame *f.* madam, lady

mademoiselle *f.* miss, young lady

madré, -e sly

magasin *m.* store, warehouse

magnanime magnanimous

magnifique magnificent

mahométan *m.* Mohammedan

maigre thin

main *f.* hand; à deux —s in both hands; à *or* de la — in the hand; *see* battre, serrer, taper, tenir

maintenant now; — que now that

maire *m.* mayor

mairie *f.* town-hall

mais but; why!; — oui why yes; — non why no, no you're not; no never

maison *f.* house; — de santé insane asylum; — de ville town-hall

maître *m.* master; — d'école schoolmaster, head-master; fort — de well in control of; — maçon master mason

mal badly, poorly; *m.* evil, ailment, trouble; *see* faire

malade sick, ill; *m.* sick person, patient

maladie *f.* disease

malaise *m.* discomfort, uneasiness

malfaiteur *m.* malefactor

malgré in spite of

malheur *m.* misfortune, bad luck, unhappiness; *see* porter

malheureu-x, -se unhappy

malicieux *m.* sly fellow, rogue

malin *m.* sly fellow; Malin Evil One (*the devil*)

malsain, -e unhealthy, unwholesome

maman *f.* mamma, mother

manche *f.* sleeve; *m.* handle; — à balai broom-handle, broom-stick

manchette *f.* cuff

manger to eat; squander

mangeu-r, -se eating; — d'hommes man-eating

manie *f.* mania, folly

manier to handle

manière *f.* way; d'une — ou d'une autre in one way or another; — de voir way of looking at things

manifester to show, manifest; se — to be shown, be displayed

manoir *m.* manor

manqué, -e unsuccessful

manuscrit *m.* manuscript

maquis *m.* thicket (*Corsican*)

maraudeur *m.* prowler

marbre *m.* marble

marchand *m.* vender, merchant, dealer

marchander to bargain for

marche *f.* walking, walk; step; advance, progress; *see* mettre

marcher to walk; advance

mardi *m.* Tuesday

mare *f.* pond, pool

mari *m.* husband

mariage *m.* marriage; *see* piège

marier to marry; se — to get married

marin *m.* seaman

marmot *m.* youngster

marque *f.* mark, emblem

marquer to mark

marquis *m.* marquess

marquise *f.* marchioness

marron *m.* chestnut; *adj.* nut-brown, chestnut-colored

Marseille Marseilles
martyre *f.* martyr
martyriser to punish
massacrer to slaughter
masse *f.* mass
massif *m.* clump of trees
massue *f.* club
matelas *m.* mattress
maternel, –le *adj.* mother
matière *f.* matter, subject
matin *m.* morning; le — in the morning; au — in the morning
matinal, –e *adj.* morning
matinée *f.* morning
mauvais, –e bad, wicked, evil; *see* œil
me me, to me, myself, to myself
méchanceté *f.* wickedness, malice
médecin *m.* doctor, physician; monsieur le — doctor
médicament *m.* medicine; menus —s small medical articles
méfait *m.* misdeed
méfiance *f.* distrust
méfier: se — de to distrust, have no faith in
meilleur, –e better; le — the best; mon — my best
mêler to mix; se — à to mix with, mingle with
membre *m.* member; limb; de tous mes —s in all my limbs
même same, very; *adv.* even; *see* soir, tout
menace *f.* threat
menacer (de) to threaten (with)
ménage *m.* married couple
mensonge *m.* lie
menton *m.* chin
menu, –e small; *see* médicament, trotter

menuisier *m.* carpenter
mer *f.* sea
merci thanks, thank you; no thanks; **grand —** many thanks
mère *f.* mother
méritant, –e deserving
merveille *f.* marvel, wonder
merveilleu–x, –se marvelous, wondrous
mes *poss. adj. m. & f. pl.* my
mesdames *pl. of* madame
message *m.* message
messieurs *pl. of* monsieur
mesure *f.* measure; à — que as, in proportion as
métamorphoser to metamorphose, transform
métaphore *f.* metaphor
métier *m.* trade, occupation, job; — de cheval dog's life
mètre *m.* meter
mets *1st sing. pres. ind. of* mettre
mettre to place, put, lay; put on; se — à l'abri de to protect oneself from; — au collège to send away to school; — de côté to lay aside, save; — au fait de to inform about; se — à genoux to kneel down; se — au lit to go to bed; se — en marche to start out; — sans pain to deprive of a livelihood; se — au travail to start working; se — à to begin to; set about to, try to; place oneself at
meuble *m.* piece of furniture; —s *m. pl.* furniture
meubler to furnish
meurs *1st sing. pres. ind. of* mourir
meurtrier *m.* murderer
meurtrir to bruise

Michel Michael; **saint —** Saint Michael (*He is pictured as wearing a breast plate and sword, fighting rebellious angels and weighing souls in the last judgment*)

midi *m.* noon

mien, –ne (*with art.*) mine

mieux better; **le —** the best thing; *see* **valoir**

mignon, –ne cute

milice *f.* militia; *see* **homme**

milieu *m.* middle; **au — de** in the middle, in the midst of; **du — de** in the center of

militaire military

mille thousand, a thousand

mimique *f.* mimicry

mince thin, slender

ministre *m.* minister, cabinet member

minuit *m.* midnight

minute *f.* minute

mioche *m.* brat

mirent *3d pl. past def. of* **mettre**

mis *1st sing. past def. of* **mettre**; **mis, –e** *past participle of* **mettre**

misérable wretched, miserable

misère *f.* wretchedness, distress; neglect

miséricorde *f.* mercy

mission *f.* errand, mission; **sa — d'initiateur** his mission as a leader

mit *3d sing. past def. of* **mettre**

mitraille *f.* rapid fire, hail storm

MM. *abbrev. for* **messieurs**

Mme *abbrev. for* **madame**

mobilier *m.* furniture

mode *f.* mode, style, fashion

modeste modest

modifier to alter

moi me, I, myself; to me, to myself

moi-même myself

moindre : le — the slightest, the least, the smallest

moins less; **au —** at least

mois *m.* month

moisson *f.* harvest, crop

moitié *f.* half; **à —** half; **à — distance entre** half way between; **par —** in halves

moment *m.* moment, time; **au — où** at the time when, at the moment when; **par —s** at times; *see* **avoir**

mon *poss. adj. m.* my

monarchiste *adj.* monarchist

monarque *m.* monarch

monde *m.* world; people; crowd; **tout le —** everybody

monnaie *f.* money, change

monotone monotonous

monseigneur *m.* my lord, monseigneur

monsieur *m.* sir; Mr.; gentleman; *see* **abbé, docteur**

monstre *m.* monster

monstrueu–x, –se prodigious, monstrous

mont *m.* mount, mountain

montagnard *m.* mountaineer

montagne *f.* mountain; **dans la —** in the mountains

Monte Cinto *The highest peak in Corsica*

monter to go up, come up, get up, rise, arise, go aboard; amount; **— dans** to get in; **— au pouvoir** to come into power

montrer to show, display

Mont-Saint-Michel *City on a small island in a bay of the same name opening into the English Channel, and site of a*

*medieval Benedictine Abbey.
Louis XI established there the
order of Knights of St. Michael
in 1469; according to legend
St. Michael appeared on the
island in the year 706*

monument *m.* monument

moquer: se — de to make fun
of, laugh at, make a fool of

moqueu–r, –se taunting, teas-
ing, scornful, mocking

moralement mentally (*not phys-
ically*)

morne gloomy

mort *f.* death; *m.* dead person; **les —s** the dead; **mort,
–e** dead, *past participle of*
mourir; *see* **faire**

Mortain *Small inland town east
of Avranches*

mortel *m.* mortal, human being; **mortel, –le** mortal, fatal

mot *m.* word

motif *m.* reason, ground

mouchoir *m.* handkerchief

moulin *m.* mill, windmill

mourant *pres. participle of*
mourir; **mourant, –e** dying;
faint

mourir to die

moururent *3d pl. past def. of*
mourir

mousse *f.* froth

mousseline *f.* muslin, piece of
muslin

mousseu–x, –se sparkling

moustache *f.* mustache; **—s**
f. pl. mustache; **aux —s
pointues** with a pointed
mustache

Moustiers *Small town in the
southwest of France, formerly
famous for its crockery*

mouvement *m.* move, movement; *see* **faire**

mouvoir to move; *see* **sable**

moyen *m.* way, means; **au —
de** by means of; **le — de** the
way to, an opportunity to;
moyen, –ne *adj.* middle; *see*
âge, trouver

moyennant for

muet, –te mute, silent

mugir to bellow

multicolore many-colored

multitude *f.* multitude, mob

municipal, –e municipal

mur *m.* wall; **— de clôture**
fence

muraille *f.* wall

murmurant, –e mumbling

murmure *m.* murmur, breath

murmurer to mutter, mumble,
murmur

museau *m.* snout, muzzle

musée *m.* museum

musical, –e musical

musicien *m.* musician

musique *f.* music

mystère *m.* mystery

mystérieu–x, –se mysterious

N

nager to swim; float

naï–f, –ve simple

naissait *3d sing. imperf. ind. of*
naître

naissance *f.* birth

naissent *3d pl. pres. ind. of*
naître

naître to be born, arise

naïveté *f.* ingenuousness, naïveté

Napoléon *Napoleon the Third
(1808–1873)*

napolitain, –e Neapolitan

nappe *f.* sheet

narquois, –e waggish, mocking

narrer to tell, relate

natal, –e native
national, –e national
nature f. nature, kind
naturel, –le natural; original
naturellement naturally; ingen-
uously
nauséabond, –e nauseating
naval, –e naval
navet m. turnip
navire m. ship, vessel
ne no, not; see aucun, guère,
jamais, pas, personne, plus,
point, que
nécessaire necessary
nécessité f. necessity
négliger to neglect
nègre m. negro
nerf (f silent) m. nerve
nerveu–x, –se nervous
net, –te net, clear; clear-cut;
adv. net short
nettement clearly
neuf nine; neu–f, –ve new;
quoi de neuf what's new?,
what do you know?
Nevers City in the central part
of France
neveu m. nephew
nez m. nose; see rire
ni nor; — . . . — neither
. . . nor
niais m. dunce, simpleton
Niolo: vallée du — Picturesque valley in which the chief
streams of Corsica arise
nique f.: see faire
noce f. wedding party
noctambule m. night owl
noir, –e black; see faire, tourner
noirâtre blackish
noisette f. hazel-nut
nom m. name; au — de in the
name of; — d'un chien hang
it all!
nombre m. number

nommer to call, name; ap-
point; nommé, –e named,
called; le nommé . . . the
man named . . .
non no; not; moi — plus nor
I either; ni eux — plus nor
they either; — pas not; —
plus neither
nord m. North
normal, –e normal; natural
Normand m. Norman
Normandie f. Normandy
nos pl. our
notable m. notable, leading cit-
izen
notre our
nourrir to nourish, feed
nous we, us, to us; see autre
nouv–eau, –el, –elle new; other;
de nouveau again
nouvelle f. news, piece of news;
—s f. pl. news
noyer to drown; submerge;
flood
nu, –e bare
nuance f. shade, color
nuit f. night, night-time; cette
— last night; la — in
the night-time; — tombante
night-fall; see table
nul, –le no, not any; see part
nullement not at all
numéro m. number

O

obéir to obey
obéissance f. obedience
objet m. object, article, thing
obligation f. bond
obscur, –e dark
obscurcissement m. dimness
observation f. observation
obstacle m. obstacle
obstination f. obstinacy; avec
— obstinately

obstiné, -e obstinate, stubborn

obtenir to obtain, get

obtint *3d sing. past def. of* obtenir

occasion *f.* occasion, opportunity; à l'— when the occasion arose; d'— temporary

occulte occult

occuper to occupy, keep busy; seize; s'— to keep busy; s'— de to bother about; take in hand, busy oneself with

Océan *m.* Atlantic Ocean; sea; en plein — right out in the Atlantic Ocean

octroi *m.* produce tax office (*at the entrance to a town or city*)

odeur *f.* odor

odieu-x, -se odious

œil (*pl.* yeux) *m.* eye; de leurs yeux with their (own) eyes; mauvais œil evil eye, curse; *see* coup

œuf *m.* egg; — de poule chicken egg

œuvre *f.* work

offert, -e *past participle of* offrir

office *m.* office, service

officier *m.* officer

offre *1st sing. pres. ind. of* offrir

offrir to offer, treat to; — de se rafraîchir à to offer some refreshments to

Oh Oh!

oie *f.* goose

oignon (i *silent*) *m.* onion

oiseau *m.* bird

ombre *f.* shade, shadow, darkness; à l'— de in the shade of

ombrelle *f.* parasol

on one, they, people; someone

oncle *m.* uncle

ondulation *f.* undulation, wave

ongle *m.* nail, finger-nail

ont *3d pl. pres. ind. of* avoir

onze eleven

opaque opaque

opérer to work

opinion *f.* opinion

or now, but; *m.* gold

orchestre (ch = k) *m.* orchestra; *see* chef

ordinaire habitual, usual, ordinary

ordinairement usually

ordonner to order, regulate, arrange

ordre *m.* order, nature; d'— intérieur within the church

oreille *f.* ear; hearing

oreiller *m.* pillow

organisateur *m.* organiser

organiser to arrange

orgue *m.* organ; *see* tuyau

orgueil *m.* pride

orme *m.* elm

ornement *m.* ornament

ornière *f.* cut

orphelin *m.* orphan

os *m.* bone; tout en — bony, all bones

oser to dare

osseu-x, -se bony

ou or; — bien or else

où where; when; in which, on which; d'— from where, whence, from which; *see* importer, moment, temps

oublier to forget

oui yes

ours (s *sounded*) *m.* bear

outrage *m.* insult, outrage

outre: en — besides, moreover

ouvert, -e *past participle of* ouvrir

ouverture *f.* opening; overture, proposal

ouvrant *pres. participle of* **ouvrir**

ouvre *3d sing. pres. ind. of* **ouvrir**

ouvri-er, -ère *adj.* of the laboring classes

ouvrière *f.* working girl

ouvrir to open; **s'—** to open

ouvris *1st sing. past def. of* **ouvrir**

oval, -e oval

P

pacifique peaceful

pacifiquement peacefully

paille *f.* straw; *see* **chaise**

pain *m.* bread; *see* **mettre**

paire *f.* pair

paix *f.* peace; *see* **ficher**

palais *m.* palace; **—** **de rêve** dream palace

Palais-Royal *Built by Richelieu in the seventeenth century, this building is now occupied partly by the Council of State*

pâle pale

pâlir to turn pale

pâlot, -te palish

panier *m.* basket; **celle au —** the one with the basket

pantalon *m.* trousers; **un —** a pair of trousers

papa *m.* papa

papier *m.* paper; **— à lettre** letter paper

par by, through, with, per, via, because of; out of; on, in

paradis *m.* paradise

parais *1st sing. pres. ind. of* **paraître**

paraissait *3d sing. imperf. ind. of* **paraître**

paraissent *3d pl. pres. ind. of* **paraître**

paraît *3d sing. pres. ind. of* **paraître**

paraître to appear, appear to be, seem

parapluie *m.* umbrella

parbleu of course!, to be sure!, goodness!

parc *m.* park

parce que because

par-ci here

parcourir to travel through

parcourus *1st sing. past def. of* **parcourir**

pardi by heck!

pardon yes indeed, oh yes, yes I have

pareil, -le (à) like; such; **un —** such a

parent *m.* relative; **—s** *m. pl.* parents; relatives

parer to ward off; **— de** to adorn with

paresseu-x, -se lazy

parfait, -e perfect; all right

parfaitement thoroughly, perfectly, entirely

parfois at times, sometimes

parfum *m.* odor, perfume

parier to bet

parisien, -ne Parisian, of Paris

par-là there

parlant, -e talking

parlementaire parliamentary; *see* **aventure, drapeau**

parler to speak; *see* **énigme**

parole *f.* word, speech, talking; *see* **prendre, retrouver**

parquet *m.* floor (*hard-wood*); prosecuting attorney's office

part *f.* part, share; **de ma —** from me, in my name; **de toutes —s** on all sides; **nulle —** nowhere; **à —** aside

partager to share, divide

parti *m.* party; detachment; **parti, -e** started, tipsy

particuli–er, –ère special, peculiar

partie *f.* part; party; **— de chasse** hunting party

partir to leave, go away, set out, go forth; *see* **parti**

partout everywhere

parut *3d sing. past def. of* **paraître**

parvenir à to succeed in; reach

parvint *3d sing. past def. of* **parvenir**

pas *m.* step; **d'un — allègre** with brisk steps; **à — furtifs** with furtive step, stealthily; **à grands —** with long strides; **au — gymnastique** in a rhythmic run; **d'un — lent** with slow steps; **à petits —** with short steps; **à quelques — de** a few steps from; **de quelques — a few steps; à —rapides, d'un — rapide** with rapid steps; **à trois — de** three paces from; **de — en —** at every turn, at every step; *see* **hâter, ralentir;** *adv.* not; **— de** no; **ne . . . — no, not**

passage *m.* passage

passant *m.* passer-by

passé *m.* past

passer to pass, go by, go on, go over, expire; run; cross; spend; **— son bachot** to take examinations for the bachelor's degree; **— un compromis** to make a compromise; **se —** to go on, happen, take place; elapse, pass by

passerelle *f.* bridge

passion *f.* love, love affair, passion

paternel, –le paternal, of his father

patiemment patiently

patient, –e patient

patriarche (ch = sh) *m.* patriarch

patrie *f.* home country, home, fatherland

patron *m.* patron; patron saint; head (*of a school*); *see* **saint**

patte *f.* paw, leg

pâturage *m.* pasture

pâturer to graze

pauvre poor; **les —s** the poor

pavillon *m.* pavilion, cabin

payer to pay, pay for

pays *m.* country, region, part of the country

paysage *m.* scenery, landscape

paysan *m.* peasant

paysanne *f.* peasant-woman

peau *f.* skin

pêcher to fish, fish for

peigner to comb

peindre to paint

peine *f.* sorrow; trouble; **à —** hardly, scarcely; with difficulty

peint, –e *past participle of* **peindre**

pendant during, for; **— que** while

pendre to hang; **pendu, –e** hanging

pénétrant, –e overwhelming, all-pervading

pénétrer to penetrate; enter; delve into; **être pénétré de** to be penetrated by

pénible painful

péniblement laboriously, with difficulty

pensée *f.* thought

penser to think; **— à** to think of

pension *f.* boarding-house, boarding-school

pensionnat *m.* boarding-school

percer to pierce; **percé, –e
à jour** carved in open-work

percevoir to perceive, see,
hear

perclus, –e (de) paralyzed
(with)

perdre to lose

perdrix *f.* partridge

père *m.* father; **le — +** *proper
name* old **+** *proper name*

perfide treacherous, perfidious

périlleu–x, –se perilous, dangerous

périphrase *f.* periphrasis, cir-
cumlocution

périr to perish

permet *3d sing. pres. ind. of*
permettre

permette *3d sing. pres. subj. of*
permettre

permettre to permit

perplexe perplexed

perroquet *m.* parrot

persévérance *f.* perseverance

persister to persist

personnage *m.* person, char-
acter

personnalité *f.* personal refer-
ence

personne *f.* person; **—s** *f. pl.*
people; **jeune —** young lady;
jeunes —s girls; *indef. pron.*
anybody, nobody, no one;
ne . . . — not anybody, nobody

personnel, –le personal

persuader to persuade, convince

perte *f.* loss; **à —** **de vue** as
far as the eye could see

pesant, –e heavy

peser to weigh

petit, –e small, little; thin;
la —e the little girl; **les —s**
the young; **toute —e** while

still a small child; *see* **bourgeois**

peu little; un–, not; **un —** a
little; somewhat; **un — de**
a little; **— à —** little by
little; **depuis —** recently;
— de temps a short while;
see **près**

peuple *m.* people; common people, mob

peupler (de) to people (with)

peur *f.* fear; *see* **avoir, faire,
hurler**

peut *3d sing. pres. ind. of*
pouvoir

peut-être perhaps

peux *1st sing. pres. ind. of*
pouvoir

pharmaceutique pharmaceuti-
cal; *see* **produit**

pharmacie *f.* drug store

pharmacien *m.* druggist, phar-
macist

phénomène *m.* phenomenon;
monstrosity

philosophe *m.* philosopher

philosophie *f.* philosophy; **en —**
in the senior class; **ma —** my
senior year

phosphorescence *f. & —s f. pl.*
phosphorescence

photographie *f.* photograph

phrase *f.* phrase, sentence; *see*
tournure

physionomie *f.* appearance

physique *f.* physique, figure

piailler to scream

piano *m.* piano; **— à queue**
grand piano

pic *m.* peak

pièce *f.* coin; room

pied *m.* foot; **à —** on foot,
walking; **des —s à la tête**
from head to foot; *see*
coup

piège *m.* trap; — à mariage marriage trap

pierre *f.* stone

piétinement *m.* sound of feet, tramping

piétiner to trample upon, tread upon

pieuvre *f.* devil-fish

pieu-x, -se pious, righteous

pilier *m.* pillar

piller to ransack, plunder

pincer to catch

pin-parasol (s = ss) *m.* parasol pine

pioche *f.* pickaxe; *see* coup

pion *m.* assistant (teacher), usher

pipe *f.* pipe

pistolet *m.* pistol

place *f.* place; square; seat; position, job; de — en — from place to place; sur — on the spot; *see* prendre

placer to place, put, locate

placide calm, placid

placidement calmly, placidly

plaider to plead, argue

plaie *f.* wound

plaignait *3d sing. imperf. ind. of* plaindre

plaindre to pity; se — (de) to complain (about)

plaine *f.* plain

plainte *f.* wail

plaire à to please, be pleasing to, be liked by; s'il vous plaît if you please

plaisir *m.* pleasure; *see* faire, prendre

plaît *3d sing. pres. ind. of* plaire

plan *m.* plan

planche *f.* board

plante *f.* plant

planter to plant, fix, stick

plaquer to lay down, make

plat *m.* dish

plâtre *m.* plaster

plein, -e full; open; *see* cœur, embrasser, figure, Océan

pleurer (de) to weep (with *or* from)

pleuvoir to rain; — à verse to pour

plier to bend, bend over

plonger to plunge, dip, dive

pluie *f.* rain; à la — in the rain

plume *f.* pen

plus more; plus; le — the most; ne . . . — no longer, no more; ne . . . — que now only; un . . . de — another . . ., one more . . .; — . . . — . . . the more . . . the more . . .; en — in addition, besides; *see* non, rien, tout

plusieurs several

plutôt rather; — que de rather than (to)

poche *f.* pocket, sack

poème *m.* poem

poésie *f.* poetry

poète *m.* poet

poids *m.* weight

poignant, -e poignant, keen, keenly pathetic

poignard *m.* dagger

poil *m.* hair

poilu, -e hairy

poing *m.* fist; *see* coup

point *m.* point, matter; au — que to the extent that; ne . . . — not at all; *see* tapisserie

pointe *f.* point

pointu, -e pointed

pois *m.* pea

poisson *m.* fish

poitrine *f.* chest

poivre *m.* pepper; — **et sel** pepper-and-salt, graying

police *f.* police; police station

poliment politely

polisson *m.* rascal, rogue

politesse *f.* politeness, civility

politique *f.* politics

polygame polygamous

pomme *f.* apple; *see* **eau-de-vie**

pompier *m.* fireman

pondre to lay (*an egg*)

pont *m.* deck

populaire *m.* populace, crowd

population *f.* population

porphyre *m.* porphyry

port *m.* harbor

porte *f.* door; gate; **de — en —** from door to door; **sous une —** in a doorway; **sur la —** in the doorway

porte-glaive *m.* sword-bearer

porter to carry, bring, bear, take; wear; — **bonheur** to bring good luck; — **malheur** to bring bad luck; *see* **bout**

porteur *m.* bearer; — **de fontaine** soft-drink man

porte-voix *m.* speaking-trumpet

poser to place; **se —** to perch; come down, settle

position *f.* position

positivement absolutely

posséder to own, possess

possesseur *m.* owner

possible possible

poste *m.* post, guard; *see* **disposer**

posture *f.* posture

potager *m.* garden (*vegetable*)

pouah fie!, phew!

poudre *f.* powder

poule *f.* hen, chicken; *see* **œuf**

poulet *m.* chicken

poumon *m.* lung

poupée *f.* doll

pour for, to, in order to; — **que** so that, in order that

pourpre *m.* purple

pourquoi why; — **ça** why so, why?; — **donc** and why, why so, why do you say that?

pourrai *1st sing. fut. of* **pouvoir**

pourri, —e rotten, rotted

pourrions *1st pl. cond. of* **pouvoir**

poursuivre to pursue

pourtant however, though

pousser to push, utter; grow; jut out; **poussé, —e** rising up, jutting out, growing out

poussière *f.* dust; — **d'eau** thin spray

pouvoir to be able, can, may, could; be able to do; **ne — que** not to be able to help; *m.* power, authority, government; *see* **monter**

prairie *f.* meadow, large meadow

pratique practical

pré *m.* meadow

précédent, —e previous, preceding

précipiter: **se —** to rush forth; **se — sur** to rush to; **précipité, —e** hurried

précis, —e clear, precise

précisément exactly

préférer to prefer

préfères *2d sing. pres. ind. of* **préférer**

préfet *m.* prefect (*chief magistrate of a department*)

premi-er, —ère first; former

prenait *3d sing. imperf. ind. of* **prendre**

prenant *pres. participle of* **prendre**

prendre to take, get, seize, catch, take hold of; take on, assume; — **en affection** to take a liking to; — **l'air** to get fresh air; — **son élan** to get ready to jump; — **garde à** to look out for; — **goût à** to take a liking to; — **l'habitude** to get the habit; — **la parole** to begin to speak; — **place** to take a seat; — **plaisir à** to take pleasure in; — **une résolution** to make a decision

prends *1st sing. pres. ind. of* **prendre**

prenez *2d pl. pres. ind. & imperative of* **prendre**

prennent *3d pl. pres. ind. of* **prendre**

préparer to prepare; **se —** to get ready

près near; — **de** near, by; with; **de —** closely; **à peu —** practically, almost

pré-salé *m.* mutton (*of sheep pastured in meadows watered by the sea*)

présence *f.* presence

présent: à — at present, now

préserver to preserve, protect

président *m.* president

presque almost

pressant, -e urgent, earnest

pressé, -e in a hurry, hurried; hurriedly; **au plus pressé** as quickly as possible

pressentiment *m.* presentiment

prestance *f.* imposing look, air of importance

prêt, -e à ready to, on the verge of

prétendre to claim, declare

prêter to lend

prêtre *m.* priest

preuve *f.* proof

prévenir to notify, inform; warn

prévient *3d sing. pres. ind. of* **prévenir**

prévînt *3d sing. past subj. of* **prévenir**

prévoir to look ahead

prévu, -e *past participle of* **prévoir**

prier to beg, ask; — **à dîner** to invite to dinner; **je vous en prie** please, I beg you

prière *f.* prayer

printemps *m.* spring; **ce —** last spring

pris *1st sing. past def. of* **prendre**; **pris, -e** *past participle of* **prendre**

prison *f.* prison, jail

prisonnier *m.* prisoner

prix *m.* prize

probablement probably

proclamer to proclaim

procureur *m.* attorney; — **général** attorney general

produit *m.* product, produce; **—s pharmaceutiques** drugs

professeur *m.* teacher, professor

profession *f.* business, trade, profession

professionnel, -le professional

profiter de to take advantage of

profond, -e deep, profound

profondément deeply

profondeur *f.* depth

programme *m.* program

proie *f.* prey; **en — à** a prey to, overcome by

projet *m.* plan, project

promenade *f.* walk, ride, promenade; — **à âne** ride on a donkey; — **en barque** boat ride

promener to run; **se —** to take a walk

promettre (à) to promise
promirent *3d pl. past def. of* promettre
promis *1st sing. past def. of* promettre
promit *3d sing. past def. of* promettre
promptement quickly
promptitude *f.* speed, promptness
prononcer to pronounce, utter, declare
prononciation *f.* pronunciation
proportion *f.* proportion
propos *m.* remark; à — de with regard to
proposer to propose
propre clean
propreté *f.* cleanness, cleanliness
prosateur *m.* prose-writer
protecteur *m.* protector, patron; *adj.* protec-teur, -trice protecting, patron
protégé *m.* protégé
protéger to protect, patronize
protestation *f.* declaration of friendship, protestation
prouver to prove
provençal, -e Provençal, of Provence
province *f.* province; de — country; from the country
provisions *f. pl.* provisions, supplies
prudent, -e prudent
Prussien *m.* Prussian
psychique (ch = sh) psychic, psychological
pu *past participle of* pouvoir
public *m.* public; *adj.* publi-c, -que public
puis then; *1st sing. pres. ind. of* pouvoir
puisque since

puissance *f.* power
puissant, -e powerful, influential
puisse *3d sing. pres. subj. of* pouvoir
punir (de) to punish (for)
pupitre *m.* desk
pur, -e pure
pus *1st sing. past def. of* pouvoir
put *3d sing. past def. of* pouvoir

Q

qualité *f.* quality
quand when; *see* depuis
quant à as to, as for
quarante-cinq forty-five
quart *m.* quarter; watch; pour le — d'heure for the moment
quartier *m.* quarter, district; — latin *Student section of Paris on the left bank of the Seine*
quatorze fourteen
quatre four
que *pron.* that, which, whom; ce — what, that which; tout ce — all that, everything that; qu'est-ce — what?; *conj.* that; than, as; ne . . . — only, but; not until; *see* plus
quel, -le what, what a!
quelconque any kind, of some kind; mediocre
quelque some; —s few, a few; *adv.* about; *see* centaine, chose
quelquefois sometimes
quelques-uns some
quelqu'un someone, somebody, anyone
querelle *f.* quarrel, row, feud
quérir: *see* venir
question *f.* question; *see* être
queue *f.* tail; *see* piano

Queue-de-Vache *A ferry near Paris*

qui who, whom, which; he who; **ce —** which, a thing which; **tout ce —** all that (which); **— est-ce —** who?

quiconque anyone who

quinze fifteen; *see* **jour**

quitter to leave

quoi what; **— donc** what? what's that?, what was that?; *see* **bon, neuf, servir, vivre**

R

raccommoder to mend

race *f.* race, family

racine *f.* root

raconter to tell, relate

radical, –e radical

radieu–x, –se radiant

rafale *f.* gust of wind

rafistoler to patch up

rafraîchir to refresh, revive; **se —** to have some refreshments; **être rafraîchi de** to be refreshed by; *see* **offrir**

rage *f.* rage, fury

rager to fume, be in a rage

raidir: se — to stiffen, stiffen up

raison *f.* reason; *see* **avoir**

raisonnement *m.* reasoning

rajuster to adjust

ralentir to slacken, slow up; **— le pas** to slow up, slacken one's pace

râler to have the death-rattle, gasp

rallier to rally, go over

ramasser to pick, pick up

rame *f.* oar

ramener to bring back, take back

ramper to crawl along

rancune *f.* ill-will, grudge

râpé, –e grated

rapide swift, quick, rapid

rapidité *f.* rapidity

rappel *m.* call, call to arms; *see* **battre**

rappeler to call back, recall; **se —** to remember

rappelle *1st & 3d sing. pres. ind.* of **rappeler**

rappelles *2d sing. pres. ind.* of **rappeler**

rapprocher: se — to come near *or* nearer

raquette *f.* racket

rare rare, unusual; sparse, thin

rassembler to assemble; **se —** to assemble, gather together

rattraper: se — to catch up, make up for lost time

ravager to ravage

ravi, –e delighted; *see* **air**

ravin *m.* ravine, chasm

recevoir to receive, accept; entertain

recevrez *2d pl. fut.* of **recevoir**

recharger to load again, reload

rechute *f.* new fall

récit *m.* story, narrative

réclame *f.* advertisement

reçois *1st sing. pres. ind.* of **recevoir**

récolte *f.* crop, harvest

recommandation *f.* recommendation

recommander to recommend

recommencer to begin again

reconduire to take back, lead back

reconduisit *3d sing. past def.* of **reconduire**

réconforter to revive

reconnais *1st & 2d sing. pres. ind.* of **reconnaître**

reconnaissable recognizable

reconnaissait *3d sing. imperf. ind. of* reconnaître

reconnaître to recognize

reconnu, –e *past participle of* reconnaître

reconnus *1st sing. past def. of* reconnaître

reconnut *3d sing. past def. of* reconnaître

reçu, –e *past participle of* recevoir

recueillir: se — to collect one's thoughts

reculer to step back; — de quelques pas to step back a few steps; se — to step back

reçus *1st sing. past def. of* recevoir

reçut *3d sing. past def. of* recevoir

redescendre to come down again

redingote *f.* frock-coat

redoutable formidable

redouter to fear

refermer to close again; se — to close again

réfléchir to reflect

réflexion *f.* reflection, thought

réfugier: se — to take refuge

refuser to refuse

regagner to go back to, return to

regard *m.* glance, look; eyes

regarder to look at, watch

régiment *m.* regiment

règle *f.* rule; ruler; *3d sing. pres. ind. of* régler

régler to adjust, settle

règnent *3d pl. pres. ind. of* régner

régner to reign, rule, hold sway

regretter to regret

réguli-er, –ère regular

rejoignit *3d sing. past def. of* rejoindre

rejoindre to join

réjouir to cheer

relation *f.* relation; contact

relèvent *3d pl. pres. ind. of* relever

relever to raise, pull up; se — to get up again

relique *f.* relic

remarque *f.* observation

remarquer to notice; remarqué, –e notable, noted

remercier (de) to thank, express thanks (for)

remettre to give, hand, hand over, deliver; restore; se — à to begin again to; se — en route to set out again

remeubler to refurnish, furnish again

remis *1st sing. past def. of* remettre; remis, –e *past participle of* remettre

remit *3d sing. past def. of* remettre

remonter to go up again, go back up, come up again; — dans to get in again

rempaillage *m.* mended seat

rempailler to mend (seats of) chairs

rempailleur *m.* chair-mender

rempailleuse *f.* chair-mender (*woman*)

remplacer to replace

remplir to fill; fulfil

remporter to win

remuement *m.* commotion

remuer to stir, move, stir up, agitate; make a disturbance, stir about; être remué, –e de to be stirred at

rémunération *f.* remuneration, payment

rencontre *f.* meeting; **à sa —** to meet him

rencontrer to meet, encounter

rendez-vous *m.* appointment, rendez-vous

rendre to give back, return, take back; pay back for; make; **— le dernier soupir** to breathe one's last; **se —** to go, betake oneself

renfermer to contain

renfort *m.* reënforcement, reenforcements

renseignement *m. & —s m. pl.* information

renseigner to inform, enlighten

rentrée *f.* return

rentrer to return, come back, go back, go home; bring in; **— chez moi** to go home

renverser to throw down, upset; turn around

répandre to spread; spill; **se —** to spread open

reparaître to reappear

repartir to start again

reparu, -e *past participle of* reparaître

reparut *3d sing. past def. of* reparaître

repasseuse *f.* laundress, ironer

repêcher to fish out (again)

répète *3d sing. pres. ind. of* répéter

répéter to repeat; rehearse

répétition *f.* private lesson

répit *m.* respite, let-up

replier: se — to fall back, retreat

répliquer to reply, rejoin

répondre (à) to answer; fulfil; return, be responsive (to); reply (to); **— à +** *person* **de +** *thing* to assure of, guarantee

réponse *f.* answer

repos *m.* rest

reposant, -e restful

reposer to rest, relieve; put down; **se —** to rest

repousser to repel, repulse, reject

reprendre to take back, take up again; get back, recover; resume, continue

représenter to represent

repris *1st sing. past def. of* reprendre

repriser to mend, darn

reprit *3d sing. past def. of* reprendre

reprocher to reproach; **— à +** *person* to reproach for **+** *thing*

reproduire to reproduce

républicain, -e of the Republic; republican

république *f.* republic; **en —** in a republic; **République** the French Republic

réputation *f.* reputation

réserves *f. pl.* savings

résidence *f.* residence, dwelling

résignation *f.* resignation; **avec —** resignedly

résister (à) to resist

résolu, -e determined

résolut *3d sing. past def. of* résoudre

résolution *f.* resolution, determination; *see* prendre

résoudre to decide

respecter to respect

ressembler à to resemble, look like

ressentir to feel, experience

ressource *f.* resource; **les —s de société** the help of social contact

restaurant *m.* restaurant

reste *m.* rest

rester to remain

restitution *f.* restitution, restoration

résultat *m.* result

résulter to result; il en est résulté there resulted from this

retenir to hold up

retirer to withdraw, retire; se — to withdraw, retire

retomber to fall back

retour *m.* return

retourner to come back, go back, return; upset, turn around; se — to turn around

retracer to outline; se — to be outlined

retraite *f.* retreat; *see* battre

retrouver to find again; — la parole to find one's tongue again

réunir to assemble, bring together; se — to gather

réussir (à) to succeed (in)

rêve *m.* dream, dreaming; *see* palais

réveiller: se — to get awake, be awakened again

révéler to reveal

revenir to come back

revenu, –e *past participle of* revenir

rêver to dream; dream of, imagine

revêtir to put on

rêveur *m.* dreamer

reviendra *3d sing. fut. of* revenir

revient *3d sing. pres. ind. of* revenir

revins *1st sing. past def. of* revenir

revint *3d sing. past def. of* revenir

revis *1st sing. past def. of* revoir

revoir to see again

révolte *f.* revolt; *see* avoir

révolter: se — to rebel, revolt

révolution *f.* revolution

revolver (re = ré; *final* r *sounded*) *m.* revolver

révoquer to dismiss

revu, –e *past participle of* revoir

revue *f.* review

rhumatisme *m. & —s m. pl.* rheumatism

riait *3d sing. imperf. ind. of* rire

riant *pres. participle of* rire

ricaner to chuckle

riche rich, well-to-do

ridé, –e wrinkled

ridicule ridiculous

rien (de + *adj.*) nothing; — que nothing but, only; ne . . . — (de + *adj.*) nothing, not anything; — de plus nothing more

rieu–r, –se laughing

rire to laugh; — au nez à to laugh in the face of; *m.* laughter, laugh; d'un — content with a contented laugh

rivière *f.* stream

robe *f.* dress; — de chambre dressing gown

Robec: Eau de — *A small stream flowing into the Seine at Rouen*

robinet *m.* spiggot

roc (c *sounded*) *m.* rock

rocher *m.* rock

rôder to roam, prowl

rôdeur *m.* prowler

rognon *m.* kidney

rôle *m.* rôle

Rome *f.* Rome

rompre to break

rond, -e round, plump

ronflement *m.* rumbling

ronfler to snore

ronger to gnaw

rose *f.* rose; *adj.* pink

rosse *f.* nag, jade

roue *f.* wheel

Rouen *Former capital of the old province of Normandy*

rouge red; flushed

rougeâtre reddish

rougir to blush, color up

rouillé, -e rusty, rusted

rouleau *m.* roll

rouler to roll, roll around, roll over; rumble; **se —** to roll around

roulette *f.* roller; *see* aller

rouleuse *f.* tramp

Rousseau (Jean-Jacques) *French writer who eloquently defended the humble (1712–1778)*

route *f.* road, way; **grande —** main road, highway; **la — de** the road to; **en — go** ahead!

rouvrir to open again

ruban *m.* ribbon

rue *f.* street

ruelle *f.* lane, narrow street

ruer: se — sur to rush at, fall upon

ruine *f.* ruin

ruisseau *m.* gutter

rumeur *f.* noise, murmur

ruminer to ruminate, chew the cud

rural, -e rural; **rur-al, -aux** *m.* peasant

ruse *f.* ruse, trick; **—s** *f. pl.* scheming

rusé, -e cunning, sly

Russe *f.* Russian girl *or* woman

S

sa *poss. adj. f.* his, her, its, one's

sabbat *m.* midnight necromancy

sable *m.* sand; **—s mouvants** quick sand

sablé, -e covered with sand

sabre *m.* sword, saber

sachant *pres. participle of* savoir

sachez *2d pl. imperative of* savoir

sacré, -e sacred

sacrebleu confound it!

sacrifier to sacrifice

saint *m.* saint; statue of a saint; **— patron** patron saint

sais *1st sing. pres. ind. of* savoir

saisir to seize, grasp; take hold of; **— de** to seize with

saisissement *m.* shock

sait *3d sing. pres. ind. of* savoir

salade *f.* salad

sale dirty, foul

salé, -e *adj.* salt

salle *f.* hall; **— des délibérations** council-chamber

Salmare *Name of a hamlet*

salon *m.* parlor, drawing-room

salsifis *m.* salsify, oyster plant

saluer to greet, bow, bow to

salut *m.* bow, greeting

samedi *m.* Saturday

sang *m.* blood

sang-froid *m.* composure, coolness, calm

sangloter to sob

sanguin, -e full-blooded

sans without; **— ça** otherwise; **— que** + *subj.* without + *gerund* santé *f.* health; *see* maison

sapin *m.* fir tree

Satan *m.* Satan

satisfaisant, **-e** satisfactory

satisfait, **-e** satisfied

saucisse *f.* sausage; *see* boulette

sauf save, except

saurais *1st sing. cond. of* savoir

sauter to jump

sauvage wild, savage

sauver to save; se **—** to run away

saveur *f.* zest, flavor

savoir to know, know how, find out; be able; ne **—** que dire to not know what to say; ne **— que faire** to not know what to do; **saurais** could, can; **est-ce que je sais** how do I know?

savourer to savor, enjoy, relish

savoureu-x, **-se** savory

scène *f.* stage

sceptique *m.* skeptic

scintiller (ll *not liquid*) to scintillate

sculpter (p *silent*) to carve

se himself, herself, itself, to himself, to herself, for himself, each other, to each other

séance *f.* session; **—** tenante forthwith, at once

sec, sèche dry; lank; une sèche a lanky girl; *see* air

sécher to dry

second, **-e** (c = g) second

seconde (c=g) *f.* second

secouer to shake

secours *m.* help

secousse *f.* jolt, shock; **d'une —** with a start

secret *m.* secret

secrétaire *m.* desk

Sedan *French city, scene of defeat of the French in the Franco-Prussian War and capture of Napoleon III—September 2, 1870*

séduire to attract

séduit *3d sing. pres. ind. of* séduire; séduit, **-e** *past participle of* séduire

Seine *f.* Seine river

Seine-Inférieure *Department of France the capital of which is Rouen*

seize sixteen

seizième sixteenth

séjour *m.* place, abode

sel *m.* salt; *see* poivre

selon according to

semaine *f.* week; par **—** a week

semblable like, similar, such; un **—** such a

semblant *m.* show, pretense; *see* faire

sembler to seem, seem to be

semence *f.* seed, sowing

semer to sow

sens *m.* sense, meaning; *1st & 2d sing. pres. ind. of* sentir

sensation *f.* sensation

sentiment *m.* sentiment, feeling, sense, consciousness

sentimental, **-e** sentimental

sentir to feel, feel to be; smell; to be aware, realize; se **—** to feel oneself to be, feel oneself

seoir à to be suitable for, to suit

séparer to separate

sept seven

septembre (p *sounded*) *m.* September

seraient *3d pl. cond. of* être

serait *3d sing. cond. of* être

série *f.* series, row

sérieu-x, **-se** serious

serpent *m.* serpent; rue du **—** *Name of a street*

serrer to clasp, shake; wrap; **se — les mains** to shake hands; **se —** to crowd; **serré, –e** crowded, packed

serrure *f.* lock

serrurier *m.* locksmith

sert *3d sing. pres. ind. of* **servir**

servante *f.* servant-girl

service *m.* service

serviette *f.* napkin

servir to serve; **— de** to serve as, be used as; **se — de** to make use of, to use; **à quoi ça sert-il** what is the use (of that)?

serviteur *m.* servant

ses *poss. adj. m. & f. pl.* his, her, its, one's

seuil *m.* threshold

seul, –e single, alone, only, mere; **— à —** alone, in private; **tout —** all alone; *see* **fois**

seulement only, merely; even; just

sévère stern

sévèrement severely

si if; so; *see* **comme**

Sicile *f.* Sicily (*colonized by the Greeks in the eighth century B.C. and by the Normans in the eleventh century A.D.*)

siècle *m.* century, age; *see* **fin**

sied *3d sing. pres. ind. of* **seoir**

siège *m.* seat; *see* **fond**

sifflet *m.* whistle; *see* **coup**

signaler to point out

signer to sign; **se —** to cross oneself

Sigurd (d *silent*) *Opera composed by Reyer, first performed in 1885*

silence *m.* silence; moment of silence

Silène Silenus (*a satyr and companion of Bacchus. He is represented as a fat, bald-headed old man with a gay face, always drunk and riding on an ass*)

simple simple, plain, mere

simplement simply, merely; **tout —** merely

singe *m.* monkey

singuli-er, –ère strange, singular

sinistre dismal, gloomy, ominous, sinister

situation *f.* situation

six six

société *f.* society, company; *see* **ressource**

sœur *f.* sister

soient *3d pl. pres. subj. of* **être**

soif *f.* thirst; *see* **avoir, donner**

soigner to take care of, attend, care for, treat

soigneusement carefully

soin *m.* care, attendance, attention

soir *m.* evening, late afternoon; **le —** in the evening; **le — même** that very evening; *see* **veille**

soirée *f.* evening

sois *2d sing. imperative of* **être**

soit *3d sing. pres. subj. of* **être**

soixante-trois sixty-three

sol *m.* floor; ground

soldat *m.* soldier

solécisme *m.* mistake in grammar

soleil *m.* sun, sun-light, sunshine

solitaire *m.* solitary person; *adj.* lonely, solitary

solitude *f.* wilderness; solitude

solennel, –le solemn

solution *f.* solution

sombre dark; see faire

somme f. sum, amount; en — in a word

sommeil m. sleep; see bout

sommer to call upon, order, summon

sommes 1st pl. pres. ind. of être

sommet m. summit, top

son poss. adj. f. his, her, its, one's

songe m. dream

songer (à) to think (of)

sonner to sound, resound; ring (the door-bell)

sonnette f. bell

sonore sonorous, resounding

sont 3d pl. pres. ind. of être

sorcière f. witch

sordide filthy, sordid

sors 1st sing. pres. ind. of sortir

sort m. spell; see jeteur

sorte f. sort, kind; de la — in that way; de — que so that, with the result that; de telle — in such a way; 3d sing. pres. subj. of sortir

sortilège m. witchcraft

sortir to go out, get out, come out, come forth; — de to leave; — de chez to leave the house of; — de chez lui to leave the house, leave home, go out

sotte f. fool, dunce

sou m. cent (one twentieth of a franc), copper; see avoir

souci m. care

soucoupe f. saucer

soudain adv. suddenly

souder (à) to fuse (with), consolidate (with)

souffert, -e past participle of souffrir

souffle m. breath

souffler to blow out; — de to breathe hard with

souffrir (de) to suffer (from)

soulever (de) to raise, lift, uplift (with)

soulier m. shoe

soupçon m. suspicion; see concevoir

soupçonner to suspect

soupe f. soup

soupir m. sigh, breath

soupirer to sigh

sourcil (l silent) m. eye-brow

sourd, -e deaf; dull

souriaient 3d pl. imperf. ind. of sourire

souriant pres. participle of sourire

sourire to smile; m. smile

sournois, -e sly

sous under, beneath, below

sous-lieutenant m. second-lieutenant

sous-officier m. sergeant, non-commissioned officer; see taille

sous-préfecture f. sub-prefecture (division of a department)

sous-préfet m. sub-prefect (chief magistrate of a sub-prefecture)

soutane f. cassock

soutenir to uphold, carry on, hold

souvenir m. souvenir, remembrance, memory, recollection

souvent often

soyez 2d pl. imperative of être

spécial, -e special

spécialité f. specialty

spectateur m. spectator

stationner to stand

statue f. statue

stupéfaction f. amazement, astonishment

stupéfait, –e (de) dumbfounded (at)

stupéfiant, –e dumbfounding, breath-taking

stupeur *f.* stupor; **avec —** in amazement

stupide de stupefied with, motionless with

stupidement stupidly

su, –e *past participle of* **savoir**

subalterne *m.* subaltern

subir to undergo, submit to

subit, –e sudden

sublime sublime

subordonné *m.* subordinate

succès *m.* success

successivement successively

sucré, –e sweet

sud (d *sounded*) *m.* south

Suédoise *f.* Swedish girl *or* woman

suffire to be enough, suffice

suffisance *f.* self-sufficiency, conceit

suicider: se — to commit suicide

suis *1st sing. pres. ind. of* **être**

suisse *m.* beadle

suite *f.* sequence, succession; **par — de** as a result of, because of; *see* **tout**

suivant, –e following; *prep.* **suivant** according to

suivre to follow; go along; **être suivi de** to be followed by

superficiel, –le superficial

supérieur *m.* superior; *adj.* **supérieur, –e** superior, more than customary; upper

superstition *f.* superstition

supplication *f.* entreaty, supplication, plea

supplicier to torture

supplier to beg, entreat

supporter to stand

sur on, upon, over, towards, out of

sûr, –e sure; safe

suraigu, –ë terribly shrill

sûreté *f.* sureness; accuracy

surgir to spring up

sur-le-champ at once, immediately

surmonter to overcome, surmount

surmulet *m.* gray mullet (*fish*)

surnaturel, –le supernatural

surplus: au — besides; what is more

surprenant, –e surprising, astounding

surprendre to surprise; take advantage of; catch

surpris, –e surprised; *past participle of* **surprendre**

surprise *f.* surprise; surprise package

sursaut *m.* start; *see* **avoir**

surtout especially

surveiller to take care of, watch over; watch

survivre à to survive, outlive

sus *1st sing. past def. of* **savoir**

suspect (ct *sounded*) suspicious

suspendre to hang

sut *3d sing. past def. of* **savoir**

svelte slender

sycomore *m.* sycamore-tree

sympathique agreeable, pleasing

syncope *f.* fainting spell

système *m.* system; *see* **fusil**

T

ta *poss. adj. f.* your, thy

tabac (c *silent*) *m.* tobacco

tabernacle *m.* tabernacle

table *f.* table; **— de nuit** bedside table

tableau *m.* picture

tablier *m.* apron

tabouret *m.* stool
tache *f.* spot, speck
tacheter (de) to spot, speckle (with)
taille *f.* form, shape, figure; size; waist; — **de sous-officier** sergeant major's figure
taire: se — to become silent, keep silent
taisaient *3d pl. imperf. ind. of* taire
tambour *m.* drum
tandis que while, whereas
tanière *f.* lair, den
tant so much; so; — **de** so much, so many; — **que** as long as; as much as
taper to tap, slap; **se — dans la main** to slap each other in the hand
tapis *m.* carpet
tapisserie *f.* tapestry; — **au petit point** petit point tapestry
tard late
tas *m.* pile, heap; bunch
tasser to pile up, mass
te you, to you, thee, to thee
tel, –le such, such a; — **que** such as
télégraphe *m.* telegraph; telegraph office
tellement so, so much
témoignage *m.* testimony
tempérament *m.* temperament
tempête *f.* storm, tempest
temps *m.* time; weather; **au —** **où** at the time when; **de —** **en —** from time to time; **en même —** (**que**) at the same time (that *or* as); **quelque —** awhile, a little while; *see* **peu**
tenace tenacious
tendre to reach, stretch out; **tendu, –e** intently fixed; out-

stretched; *adj.* **tendre** tender, loving
tendresse *f.* love, tenderness, fondness
ténèbres *f. pl.* darkness; **sous les —** in the darkness
ténébreu–x, –se dark; *see* **époque**
ténia *m.* tape-worm
tenir to hold, have; possess; stay on, hold fast; — **à** to be attached to, to like; — **de la main gauche** to hold in the left hand; **tenez** see here; **tiens** see here!, well!
tenter to try
tenue *f.* uniform; **en —** in a uniform
terme *m.* term, expression
terminer to end; **se —** to end
terne dull
terrasse *f.* platform; terrace
terre *f.* earth, ground; land, shore; **à —** on shore, on land; **en —** on the ground; in the earth; clay (*pipe*); **par —** on the floor; **sous —** under the ground; **sur —** above the ground
terrifier to terrify
tes *poss. adj. m. & f. pl.* your, thine
testament *m.* will
testamentaire *adj.* of a will; *see* **exécuteur**
tête *f.* head; *see* **pied**
textuellement verbatim, textually
théâtre *m.* theater
thème *m.* translation (*into a foreign language*), composition
théorie *f.* theory
tiens *1st & 2d sing. pres. ind. & 2d sing. imperative of* **tenir**
timide timid

tirer to pull, draw, draw forth, pull out; take off; — (**sur**) to shoot, fire (at)

tiroir *m.* drawer

titre *m.* title

tocsin *m.* tocsin, alarm-bell

toi you, yourself, thee, thyself

toilette *f.* dress

toiser to size up

toit *m.* roof; à — **aigu** with pointed roofs; **sous le** — right under the roof, in the attic

tombeau *m.* tomb

tomber to fall; happen; die down; *see* **nuit, voici**

ton *m.* tone; *poss. adj. m.* your, thy

tonneau *m.* cart; — **d'arrosage** street sprinkler

torrent *m.* torrent, mountain-stream

tort *m.* wrong, mistake; *see* **avoir**

tortiller to twist

tortueu-x, -se winding

torturer to torture

toucher to touch, affect; collect; — à to touch; border on; **être touché, -e de** to be touched by *or* with, be affected by

touffe *f.* tuft

touffu, -e bushy

toujours always, ever; all the time; still; at least; anyhow, at any rate; **pour** — forever; — + *imperf. ind.* kept on, continued to

tour *m.* turn, trip; à **son** — in turn; *see* **faire, fermer**

tourbillonner to whirl around

tourelle *f.* turret

tourner to turn, revolve; turn out; **se** — to turn; — **au noir** to make gloomy

tournure *f.* turn; — **de phrase** expression

tout, -e (*m. pl.* **tous**) all, every, whole; *adv.* **tout, -e** all, quite, entirely; *m.* **tout** everything, all; **tout à coup** suddenly; **du tout** at all; **tous les deux** both; **tout droit (devant moi)** straight ahead; **tout à fait** completely, quite, entirely; **tout de même** just the same; **tout au plus** at the (very) most; **tout de suite** right away, immediately; **tous les trois** all three; *see* **aussitôt, en, haut, qui**

trace *f.* track, footprint, trace

trafiquant *m.* trader, dealer

train *m.* train

traîner to drag, draw, drag around, drag along

trait *m.* draught; **d'un** — with one swallow, at a single draught

traiter to treat; — **de** to treat as a, call

traître *m.* traitor

traîtrise *f.* treachery

tranquille calm, tranquil

tranquillement calmly, quietly

transparent, -e transparent

trav-ail, -aux *m.* work; *see* **mettre, vêtement**

travailler to work

travailleuse *f.* hard-working woman

travers: à — across, through; over

traversée *f.* crossing

traverser to cross, come through, go across; drench to the skin

trèfle *f.* clover

treize thirteen

trembler (de) to tremble, quaver, shake, shiver (at); tremble with fear (of)

tremper to soak; *see* **faire**

trentaine *f.* about thirty

trente thirty

très very, very much

trésor *m.* treasure

tressaillement *m.* quiver

tressaillir to start, give a start

triomphant *m.* triumphant one; *adj.* triumphant, –e triumphant

triomphateur *m.* victor

triomphe *m.* triumph

triompher to triumph

triple triple

triste sad

trois three

troisième third

tromper to deceive; **se —** to be mistaken, be wrong

tronc *m.* trunk

trop (de) too, too much, too well

trotter to run along; **— menu** to trot along with tiny steps

trottoir *m.* sidewalk

trou *m.* hole; *see* **faire**

trouble *m.* uneasiness; disturbance

troubler to disturb, disquiet

troupe *f.* troop, company

troupeau *m.* flock

trousseau *m.* bunch

trouver to find; think; **— moyen de** to find a way to; **se —** to be; happen; find oneself, be found

Trouville *Small town and bathing resort across the Bay of the Seine from Le Havre*

tu you, thou; **tu, –e** *past participle of* **taire**

tuer to kill

tuile *f.* tile

tumulte *m.* uproar

tumultueu–x, –se tumultuous

tunique *f.* coat

tunnel *m.* tunnel

turbulent, –e turbulent, restless

tut *3d sing. past def. of* **taire**

tuyau *m.* pipe; **— d'orgue** organ pipe

tyran *m.* tyrant

U

ultérieur, –e subsequent, further

un, l'un one; a, an

uniforme *m.* uniform

unique unique

universitaire *adj.* academic, university

urgent, –e urgent

usage *m.* use; **à l'— de** for the use of; **d'—** customary, usual

user to wear out; **— de** to resort to, make use of

usurper to usurp

utile useful

V

va *3d sing. pres. ind. of* **aller**

vacances *f. pl.* vacation

vache *f.* cow

vagabond, –e roving, wandering

vagabonde *f.* vagabond, tramp

vague *f.* wave

vaguement vaguely

vain, –e vain; **en vain** in vain

vaincre to conquer, vanquish

vainqueur *adj.* triumphant, conquering

vainquit *3d sing. past def. of* **vaincre**

vais *1st sing. pres. ind. of* **aller**

valent *3d pl. pres. ind. of* **valoir**

valet *m.* man-servant; — **de chambre** valet

vallée *f.* valley; *see* **Niolo**

valoir to be worth; — **mieux** to be better; *see* **faire**

vanter: se — **de** to pride oneself on, boast of

va-nu-pieds *m.* ragamuffin

vaporeu-x, -se gauzy, vaporous

varice *f.* varicose vein; **aux —s** with varicose veins

vas *2d sing. pres. ind. of* **aller**

vase *m.* vase, vessel

vaseu-x, -se slimy, muddy, of mud

vaste vast

vaut *3d sing. pres. ind. of* **valoir**

vécu, -e *past participle of* **vivre**

veille *f.* day before, eve; **la — de . . .** the day before . . .; **la — au soir** the evening before

veiller (sur) to watch (over)

velours *m.* velvet

vendetta (en=in) *f.* vendetta; *see* **déclarer**

vendeur *m.* vender, seller

vendre to sell

vendredi *m.* Friday

vénérable venerable, reverent; *m.* president

vengeance *f.* revenge; **sans —** unavenged

venger: se — **(de)** to take revenge (on)

veng-eur, -eresse avenging

venir to come; — **à** to happen to; — **trouver** to come to see; — **quérir** to come for, send for; **s'en** — to come away, come forth, come over; **je viens de +** *inf.* I

have just; **je venais de +** *inf.* I had just; **le premier venu** the first person who comes along; *see* **faire**

Venise *f.* Venice

vent *m.* wind

ventre *m.* stomach, paunch; **du —** a paunch

venu, -e *past participle of* **venir**

ver *m.* worm; — **luisant** glowworm

verdure *f.* verdure

véritable real

vérité *f.* truth

vermineu-x, -se infested, verminous

verni, -e patent (*leather*)

verre *m.* glass; lens; **aux —s grossissants** with magnifying lenses

verrons *1st pl. fut. of* **voir**

vers *m.* verse, line; *prep.* towards, about

verse: *see* **pleuvoir**

verser to pour, pour out, pour forth

version *f.* translation (*into one's own language*)

vert, -e green

vestibule *m.* vestibule, hall

vêtement *m.* garment; **—s** *m. pl.* clothes, clothing; **vêtement de travail** working clothes

vêtir to dress

vêtu, -e *past participle of* **vêtir**

veuillez please

veut *3d sing. pres. ind. of* **vouloir**

veuve *f.* widow

veux *1st & 2d sing. pres. ind. of* **vouloir**

vibrant, -e tingling, tense, vibrant

vibrer to vibrate, resound

vicissitude *f.* vicissitude; **—s** *f. pl.* ups and downs

vicomte *m.* viscount

victime *f.* victim

victoire *f.* victory

victorieu-x, –se victorious

vide empty; *m.* void, emptiness

vider to empty, drain

vie *f.* life, lifetime; **— de café** living in a restaurant, café life; *see* **vivre**

vieillard *m.* old man

vieille *f. of* **vieux**

vieilleries *f. pl.* junk, old furniture

vieillir to grow old

viendra *3d sing. fut. of* **venir**

viendrez *2d pl. fut. of* **venir**

viennent *3d pl. pres. ind. of* **venir**

viens *1st sing. pres. ind. of* **venir**

vient *3d sing. pres. ind. of* **venir**

vierge *f.* virgin; statue of the Virgin; *adj.* **vierge de** free from

vieux, vieil, vieille old; *m.* **vieux** old man, old fellow; **mon vieux** my boy

vi–f, –ve intense, lively, keen

vilain, –e ugly; naughty

village *m.* village

villageois *m.* villager

ville *f.* city, town; **en —** in town; **— d'eaux** bathing resort; *see* **maison**

vin *m.* wine

vingt-cinq twenty-five

vingt-sept twenty-seven

vinrent *3d pl. past def. of* **venir**

vins *1st sing. past def. of* **venir**

vint *3d sing. past def. of* **venir**

violence *f.* violence; **avec —** violently

violent, –e violent, strenuous

violet, –te violet

vis *1st sing. past def. of* **voir** *& 1st sing. pres. ind. of* **vivre**

visage *m.* face, countenance

visible visible, to be seen

vision *f.* vision

visite *f.* visit, call, visitation

visiter to visit

vit *3d sing. past def. of* **voir** *& 3d sing. pres. ind. of* **vivre**

vite fast, quickly

vitraux *m. pl.* paneled glass windows

vivant *pres. participle of* **vivre**; **de son —** while she was alive

vive *3d sing. pres. subj. of* **vivre**

vivement vigorously, strongly

Vivienne: rue — *Street in Paris running south from the Boulevard Montmartre*

vivre to live, be alive; **— d'une vie** to live a life; **de quoi —** enough to live on; **vive** long live, hurrah for . . .!

vociférer to cry out, roar

voici here is, here are; here it is; ago; **la —** here it is; **— que** now; **que —** which you see here; **te — tombé** here you are, fallen; **vous —** you here; here you are

voie *1st sing. pres. subj. of* **voir**

voilà there is, there are; this is; there you are!; ago; **le —** there it is; **nous —** here we are; **— que** suddenly; behold; **— tout** that's all

voile *m.* veil

voiler (de) to veil, cover (with)

voir to see; **voyons** let's see; see here, come now; *see* **manière**

vois *1st & 2d sing. pres. ind. of* **voir**

voisin *m.* neighbor; *adj.* **voisin, -e** next, neighboring, adjacent, near by

voisinage *m.* proximity, neighborhood

voisine *f.* neighbor (*woman*)

voit *3d sing. pres. ind. of* **voir**

voiture *f.* carriage, wagon; **— à deux chevaux** two-horse carriage

voix *f.* voice; **d'une — . . . in a . . .** voice, in a . . . tone of voice; **de toute sa —** as loudly as he could

vol *m.* theft

vol-au-vent *m.* potpie

voler to fly; to rob; **— à** to steal from

volet *m.* shutter

voleur *m.* thief

volontaire *m.* volunteer

volontairement voluntarily

volonté *f.* will; **dernières —s** last will and testament

volontiers gladly, willingly

voltiger to hover, flutter

vont *3d pl. pres. ind. of* **aller**

voudra *3d sing. fut. of* **vouloir**

voudrez *2d pl. fut. of* **vouloir**

voulez *2d pl. pres. ind. of* **vouloir**

vouloir to wish (to), desire, want, will; **— bien** to have

the kindness to, be willing, will; **en — à** to have a grudge against, "have it in for"; **que voulez-vous, que veux-tu** what do you expect?; **veuillez** please

voulu, -e *past participle of* **vouloir**

voulus *1st sing. past def. of* **vouloir**

voulut *3d sing. past def. of* **vouloir**

vous you, to you, yourself, to yourself, yourselves

vous-même yourself

voûte *f.* arch, vault; *see* **arquer**

voûté, -e bent over, stooping

voyager to travel

voyageur *m.* passenger

voyais *1st sing. imperf. ind. of* **voir**

voyait *3d sing. imperf. ind. of* **voir**

voyant *pres. participle of* **voir**

voyons *1st pl. pres. ind. & imperative of* **voir**

vrai, -e true, real

vraiment truly, really

vu, -e *past participle of* **voir**

vue *f.* sight; *see* **perte**

Y

y in it, to it, to them; there

yeux *pl. of* **œil**